Antología poética

*de M. Hernández,
muy digerible,
para ~~todo~~ tipo
de estómagos.
Tu primo,*

Sidonio Gómez Melvo

castalia didáctica

Director:
Pedro Álvarez de Miranda

Colaboradores de los volúmenes publicados:

MIGUEL HERNÁNDEZ

Antología poética

Con cuadros cronológicos,
introducción, bibliografía, texto íntegro,
notas y llamadas de atención,
documentos y orientaciones
para el estudio,
a cargo de

Antonio A. Gómez Yebra

EDITORIAL CASTALIA

© Herederos de Miguel Hernández, 1998
© Editorial Castalia, 1998
Zurbano, 39 - 28010 Madrid - Tel. 319 58 57 - Fax 310 24 42
Página web: http://www.castalia.es

Diseño de cubierta: Víctor Sanz
Ilustración de cubierta: Pedro de Valencia: *Óleo*.
(Colección particular)

Impreso en España - Printed in Spain
I.S.B.N.: 84-7039-789-3
Depósito legal: M. 9.561-1998

SUMARIO

Miguel Hernández y su tiempo 6

Introducción 13

  1. Trayectoria vital 13
  2. Trayectoria literaria 31

Bibliografía 43

Documentación gráfica 45

Nota previa 51

Antología poética 53

  Poemas sueltos, I 55
  Perito en lunas 83
  Ciclo de *Perito en lunas* 89
  Poemas publicados en *Gallo Crisis* y *Silbos* 107
  Sonetos pertenecientes al ciclo de *El silbo vulnerado* 131
  El silbo vulnerado 143
  Imagen de tu huella 155
  El rayo que no cesa 157
  Poemas sueltos, III 187
  Viento del pueblo 201
  Poemas sueltos, IV 229
  El hombre acecha 241
  Cancionero y romancero de ausencias 251
  Otros poemas del ciclo 273

Documentos y juicios críticos 279

Orientaciones para el estudio de la poesía
  de Miguel Hernández 291

Índice de poemas 319

Índice de primeros versos 325

Año	Acontecimientos históricos	Vida cultural y artística
1910	Ley «del candado», que independizaba a la política del clero. Canalejas en el poder.	Se funda el «Centro de Estudios Históricos». Gómez de la Serna, *Greguerías*. Nace Luis Rosales.
1916	Toda España bajo un intenso malestar social.	Muere R. Darío. Nacen C. J. Cela, A. Buero Vallejo y Blas de Otero.
1918	Fin de la Primera Guerra Mundial.	Llega a España V. Huidobro. Picasso, *Pierrot sentado*.
1925	Primer gobierno civil.	Gerardo Diego y Rafael Alberti, Premio Nacional de Literatura. Mueren Pablo Iglesias y Antonio Maura. Emilio Prados, *Tiempo*.
1930	El partido nazi gana las elecciones en Alemania. Dimite el general Primo de Rivera.	Luis Buñuel, *La edad de oro*. Unamuno, *San Manuel Bueno, mártir*. García Lorca, *La zapatera prodigiosa*.
1931	Las elecciones municipales de abril dan el triunfo a la República. Alfonso XIII abandona España.	Pedro Salinas, *Fábula y signo*. García Lorca, *Poema del cante jondo*.
1932	Pronunciamiento del general Sanjurjo. Leyes de reforma agraria y de divorcio. Aprobación del Estatuto de Cataluña.	Gerardo Diego, *Fábula de Equis y Zeda*. Vicente Aleixandre, *Espadas como labios*. E. Jardiel Poncela, *La «tournée» de Dios*. Primeras representaciones de «La Barraca» en Galicia.
1933	La derecha gana las elecciones en España.	Pedro Salinas, *La voz a ti debida*. Lorca estrena *Bodas de sangre* y *Amor de don Perlimplín con Belisa en su jardín*.
1934	Gobierno de Lerroux. La revolución de los mineros asturianos es fuertemente reprimida.	Luis Cernuda, *Donde habite el olvido*. E. Jardiel Poncela estrena *Angelina o el honor de un brigadier*. F. García Lorca, *Yerma*. Alejandro Casona, *La sirena varada*. Aleixandre, Premio Nacional de Literatura. Mueren Ramón y Cajal e Ignacio Sánchez Mejías.

Vida y obra de Miguel Hernández

Nace en Orihuela (Alicante), el 30 de octubre, en la calle San Juan. Sus padres se llamaron Miguel Hernández Sánchez y Concepción Gilabert Giner. Sus hermanos fueron Vicente, Elvira y Encarnación.

En Quesada (Jaén) nace Josefina Manresa Marhuenda, que sería su esposa, el 2 de enero.

Asiste al colegio de Santo Domingo, en las clases para niños pobres. Los jesuitas, advirtiendo su capacidad intelectual, proponen a la familia costearle una carrera. Su padre se opuso.

Deja de asistir al colegio. Pastorea el rebaño de cabras familiar. Estudia lo que puede. Empieza a escribir versos.

Se fragua la denominada «Generación de 1930» oriolana, con Carlos Fenoll y Ramón Sijé entre otros. El diario *El Pueblo* publica su primer romance: «Pastoril.» José Ballesteros escribe la primera reseña sobre él en el periódico *Voluntad*.

Se libra de quintas. Primer viaje a Madrid. Contacta con Concha de Albornoz y Giménez Caballero, que le echan una mano.

Giménez Caballero y Francisco Martínez Corbalán se ocupan de él en *La Gaceta Literaria* y *Estampa*, respectivamente. En mayo, de vuelta para Orihuela, es detenido en Alcázar de San Juan, por utilizar documentación falsa. En agosto conoce a Josefina Manresa. En octubre, a Carmen Conde, Antonio Oliver, Raimundo de los Reyes, etc. En casa de éste le presentan a García Lorca. Escribe *Perito en lunas*.

En enero se publica *Perito en lunas*. Empieza a escribir su auto sacramental *La danzarina bíblica*, que terminaría titulándose *Quién te ha visto y quién te ve*. Algunos textos suyos en verso y en prosa aparecen en diarios regionales.

Nuevo viaje a Madrid. Formaliza su noviazgo con Josefina Manresa. Escribe los primeros sonetos de *Imagen de tu huella*. J. Bergamín publica en *Cruz y Raya* su auto sacramental, con lo que mejora un tanto su maltrecha economía.

Año	Acontecimientos históricos	Vida cultural y artística
1935	Primer gobierno de la CEDA (Confederación Española de Derechas Autónomas).	Tricentenario de la muerte de Lope de Vega. Pablo Neruda, *Residencia en la tierra*. V. Aleixandre, *La destrucción o el amor*. R. Alberti, *Verte y no verte*. G. Lorca, *Seis poemas galegos*, *Doña Rosita la soltera*, *Llanto por Ignacio Sánchez Mejías*.
1936	Azaña, presidente de la República. Comienza la Guerra Civil española. Llegan los primeros voluntarios de las Brigadas Internacionales.	J. Guillén, *Cántico* (2.ª edición). Altolaguirre, *Las islas invitadas*. Lorca es asesinado en Granada. Mueren Unamuno, Valle-Inclán, Villaespesa, Gorki y Pirandello. Juan Ramón marcha a Puerto Rico.
1937	Prosigue la Guerra Civil. Las tropas de Franco conquistan Málaga, pero no pueden tomar Madrid. Guernica es bombardeada. Guerra entre China y Japón.	César Vallejo, *España, aparta de mí este cáliz*. Emilio Prados, *Llanto en la sangre*. Picasso, *Guernica*. Sartre, *La náusea*. Mueren Lovecraft, Ravel, Marconi y Gramsci. P. Salinas, en Wellesley College, manifiesta su adhesión a la República.
1938	Batalla del Ebro. Abandonan España las Brigadas Internacionales. Primer gobierno nacional en Burgos.	Continúa el éxodo de artistas e intelectuales: Guillén a Estados Unidos, Cernuda a Inglaterra. E. Prados, *Cancionero menor para los combatientes*. E. Jardiel Poncela, *Lectura para analfabetos*, *El libro del convaleciente*. Mueren César Vallejo y Leopoldo Lugones.
1939	El 1 de abril termina la Guerra Civil española. En mayo Hitler y Mussolini acuerdan el «Pacto de Acero». Comienza, el 1 de septiembre, la Segunda Guerra Mundial.	C. Vallejo, *Poemas humanos*. Altolaguirre, *Nube temporal*. Mueren A. Machado, S. Freud y W. B. Yeats.
1940	Las tropas nazis invaden Holanda, Bélgica y Francia. El 23 de octubre Hitler se entrevista con Franco en Hendaya.	G. Diego, *Ángeles de Compostela*. García Lorca, *Poeta en Nueva York*. E. Jardiel Poncela, *Eloísa está debajo de un almendro*. E. Hemingway, *Por quién doblan las campanas*.

Vida y obra de Miguel Hernández

Frecuenta y afianza la amistad de Neruda y Aleixandre. *Caballo griego para la poesía,* revista que dirige el poeta chileno, publica su poema «Vecino de la muerte», y *Revista de Occidente,* seis sonetos y la «Elegía a Sijé», muerto el 24 de diciembre.

Es detenido el 6 de enero en San Fernando del Jarama. El día 23 sale a la luz *El rayo que no cesa,* en Ediciones Héroe, de M. Altolaguirre. Escribe *El labrador de más aire.* Publica en *Revista de Occidente* «Sino sangriento». Al estallar la guerra civil ingresa como voluntario en el Ejército Popular. Escribe los primeros poemas de *Viento del pueblo.*

Ingresa en el famoso 5.° Regimiento, en donde su función será cavar trincheras. Nombrado Miliciano de Cultura, es destinado al «Altavoz del Frente», en Andalucía. El 9 de marzo se casa con Josefina Manresa. Escribe *Teatro en la guerra.* Se muestra muy activo en el II Congreso Internacional de Intelectuales, en Madrid y Valencia. Viaja como invitado a la URSS, de agosto a octubre, con motivo del V Festival de Teatro Soviético. Se publican *Viento del pueblo, Teatro en la guerra* y *El labrador de más aire.* El 19 de diciembre nace su primer hijo, Manuel Ramón.

Muere su hijo Manuel Ramón, cuya pérdida le inspira bellísimos poemas. Escribe asimismo el drama *Pastor de la muerte* y *El hombre acecha,* libro que, ya impreso, quedó sin encuadernar en la Tipografía Moderna de Valencia. Empieza su *Cancionero y romancero de ausencias.*

El 4 de enero nace su segundo hijo, Manuel Miguel. Al finalizar la guerra intenta trasladarse a Portugal, pero fue detenido en Rosal de la Frontera. Pasó luego por las cárceles de Huelva, Sevilla y Torrijos (Madrid). Sale en libertad provisional el 17 de septiembre, marchando a Cox y Orihuela para reunirse con su familia. En su villa natal es nuevamente detenido, y encarcelado en el Seminario, que hace las funciones de Penal. Sigue componiendo poemas para el *Cancionero y romancero de ausencias.*

Permanece encarcelado en «Conde de Toreno» (Madrid), entre el 3 de diciembre de 1939 y el 22 de septiembre de 1940. Juzgado en enero, es condenado a muerte. Pasa a la prisión provincial de Palencia, donde está ingresado entre el 23 de septiembre y el 26 de noviembre. Pasa tres días en la sección de Transeúntes de la cárcel de Yeserías (Madrid).

Año	Acontecimientos históricos	Vida cultural y artística
1941	Las tropas de Hitler invaden la URSS. Ataque japonés a la base americana de Pearl Harbor. Estados Unidos entra en la guerra.	R. Alberti, *Entre el clavel y la espada.* G. Diego, *Alondra de verdad* y *Primera antología.*
1942	Numerosos frentes en la Segunda Guerra Mundial: Rusia, Oriente, Norte de África... La «División Azul» lucha con la *Wehrmacht* en la URSS. Franco se decide por la «no-intervención». Se establecen las Cortes Españolas.	R. J. Sender, *Crónica del alba.* C. J. Cela, *La familia de Pascual Duarte.* L. Cernuda, *Ocnos.* A. Camus, *El extranjero.* Pessoa, *Poesías* (primer volumen). Jardiel Poncela estrena *Es peligroso asomarse al exterior* y *Los habitantes de la casa deshabitada,* así como la versión cinematográfica de *Los ladrones somos gente honrada.*

Vida y obra de Miguel Hernández
Pasa al Reformatorio de Adultos, en Ocaña (Toledo), donde Buero Vallejo le hizo un retrato. Permaneció allí entre el 29 de noviembre del 1940 y el 23 de junio de 1941. Solicitó y consiguió ser trasladado al Reformatorio de Alicante, donde estuvo desde el 28 de junio hasta su muerte. A finales de diciembre enfermó de tifus, que degeneró luego en tuberculosis.
Muere el 28 de marzo. Recibió sepultura en el cementerio de Nuestra Señora del Remedio, de Alicante.

Introducción

1. Trayectoria vital

Afirma Juan Cano Ballesta que «la vida —tema central de toda poesía y arte— es el gran problema que sobrecoge y estremece a nuestro poeta: la vida propia como problema existencial y la vida en general, el gran misterio de la vida en el mundo.»[1]

1.1. *Alabanza de aldea*

Nació Miguel Hernández en Orihuela (Alicante) el 30 de octubre de 1910, en el seno de una familia formada por don Miguel Hernández Sánchez y doña Concepción Gilabert Giner. Fue el segundo hijo varón del matrimonio —tras Vicente— y hubo también dos hermanas: Elvira, mayor que él, y Encarnación.[2]

Orihuela era una población de calles estrechas, con casas

---

[1] Vicente Ramos, en el mismo sentido, advierte: «Toda la poesía hernandiana es esencialmente autobiográfica, realizada en la zona del alma, camino, si breve, intensísimo, que conduce hacia el autodesvelamiento de lo que Puccini ha denominado "centro emotivo existencial auténtico".»

[2] Entre Vicente y Elvira nació otra niña, Concha, fallecida.

encaladas, sin color uniforme, aunque, entre las de tonos amarillos, verdes, azules y rosas, predominaban las de color ocre.
Aquí y allá, alguna palmera y, en la vega, el río Segura, que le
proporcionaba verdor y continúa alimentando su rica huerta.

Llegaba al mundo Miguel en el año de la consagración de
su luego admirado Gabriel Miró, quien publicaba en Barcelona *Las cerezas del cementerio*, y era el año también del nacimiento de Luis Rosales, cuyo devenir poético y vital sería tan
distinto al del joven alicantino.

Se dedicaba Miguel Hernández —padre— a la cría de un
rebaño de unas 80 ó 90 cabras, y muy pronto necesitaría y uti-
lizaría la ayuda de sus dos hijos varones para tal oficio y me-
nester. Vivían en un principio en la calle San Juan, aunque
pronto se trasladaron a la calle de Arriba.

Era el cabeza de familia un hombre bastante tosco, de escasa formación, que, al parecer, solía castigar con dureza cualquier tipo de desobediencia o travesura de los chicos. Su esposa, una mujer sencilla, intentaba mitigar la rudeza del padre,
si bien no siempre lo conseguía.

A Miguel —hijo— le encantaba dedicarse al cuidado de los
animales, trabajo en que llegó a convertirse en un verdadero
experto. Su diario trajín con los animales, en plena naturaleza, lo puso en contacto directo con todo tipo de plantas y animales, de los que conocía nombres, características, épocas de
recolección o de celo, lugares donde se podían localizar, etc.

Su aprendizaje de los elementos del mundo animal y vegetal, de los ciclos y de las estaciones, de la sexualidad y de la
maternidad, del más acá y del más allá cósmico, puede decirse que lo realizó *in situ*, mientras apacentaba o guiaba el rebaño, teniendo como su mejor y casi exclusivo maestro el entorno oriolano, que se le ofrecía gratuita y directamente.

Un tanto al margen de las cuestiones ciudadanas, el pequeño Miguel está desprovisto de la malicia que otros chicos de
su edad han ido desarrollando. Cuenta su viuda que, hacia los
ocho o diez años, algunos amigos le gastaban a veces bromas

pesadas, basándose en su candidez. Así cuando habían puesto un bote con carburo y le dijeron que se agachara y lo mirase, porque resultaría un bonito espectáculo. Miguel, que no conocía el artilugio ni sospechaba sus consecuencias, se agachó y, mientras lo observaba, le explotó, originándole heridas que le dejaron cicatrices imborrables en la cara y en la frente.

Mientras tanto, asiste a las escuelas del Ave María, regentadas por un discípulo del Padre Manjón, [3] donde aprende las primeras letras y donde empezará a descubrir su gran pasión: la lectura. Cierto que, al regresar a casa, sus «deberes» se concretaban en ayudar en el patio con las cabras, por lo que siempre se sentía en deuda con los libros.

Entre 1924 y 1925, en las escuelas del Colegio de Santo Domingo, [4] destacó en los estudios, motivo por el cual los jesuitas ofrecieron al padre la posibilidad de sufragarle una carrera, posibilidad que el rudo pastor y tratante de cabras desestimó.

Moviéndose entre los niños ricos, con los que compartía aprendizaje, el chico, acostumbrado a usar zapatillas de esparto, apenas lo podemos imaginar cuando, en los días en que se celebraban las comuniones, iba vestido con traje de chaqueta, zapatos negros y medias negras que le llegaban hasta las rodillas. Uno de aquellos muchachos que dibujó Miró:

> —En los colegios de jesuitas hablan de «usted» y tratan de «señor» a todos los educandos, aunque sean muy chiquitines. [...] Yo entré a los ocho años en Santo Domingo, y me pasmaba tanto «usted» y tanto «señor» [...]; pero todavía me maravillaba más que se lo dijesen a un rapazuelo que estaba a mi lado; yo traía pantalones largos, pero los de mi vecino eran cortos y llevaba medias. [5]

---

[3] Don Ignacio Gutiérrez Tienda.
[4] También había estudiado allí Gabriel Miró, aunque éste no lo hizo en calidad de niño pobre, como fue Miguel.
[5] «El señor Cuenca y su sucesor», un apartado del *Libro de Sigüenza*.

Y fue en esa época cuando Miguel Hernández —padre— decidió que el hijo a quien había dado su propio nombre había concluido su formación intelectual: un período muy breve, por lo que el joven pastor sólo tuvo tiempo de descubrir la punta del iceberg. Se había asomado a la cultura lo suficiente, eso sí, para advertir, como el filósofo, que no sabía nada.

De modo que la suya fue desde entonces una carrera contra el tiempo, contra la voluntad paterna, contra la economía y contra multitud de imponderables que le impedían robustecer su cultura. Pero ya se había prendido en él una llama inextinguible a la que necesitaba alimentar diariamente, una llama que iba a iluminar su vida sacándolo de las oscuridades de su linaje, de sus círculos, de su terruño.

Miguel, arrancado de los estudios, no se conformaba con ser un pastor más a la deriva entre los cerros y los campos de Orihuela. Llevaba y traía el ganado, porque conocía sus obligaciones en casa, pero se acompañaba con algún libro: la *Eneida*, el *Quijote*, la poesía de San Juan de la Cruz y de Garcilaso, cuyos pastores tuvieron que ser una fuente de goce indescriptible; novelas de Miró, y tantos libros más que le prestó el vicario de la diócesis, don Luis Almarcha, o que obtuvo en la biblioteca del Círculo de Bellas Artes.

Solía quedarse hasta altas horas de la madrugada leyendo, y tenía que sufrir por ello las reconvenciones paternas. Y ocurría a veces que el rebaño se desmandaba por las huertas próximas mientras él se enfrascaba en la lectura. Nuevas reprimendas y malos modos del padre, que se veía obligado a pagar las multas pertinentes, pero nada ni nadie le impedía avanzar en su proceso autodidacta.

A veces la crítica suele afirmar de tal o cual generación que se formó a sí misma, porque estuvo carente de maestros, o porque tuvo que salir de la universidad para buscarse libros en determinadas entidades públicas como la Biblioteca Nacional. Miguel Hernández es, en este sentido, el máximo exponente del hombre y el poeta que se forja a sí mismo, sin patrón, sin mentor o guía, partiendo prácticamente de la nada, bebiendo con avidez en todo lo que llegaba a sus manos. Pasó así de Virgilio a Verlaine; de Antonio Machado a Gabriel y Galán; de Cervantes a Luis del Val y Pérez Escrich o viceversa; de Rubén Darío a Juan Ramón Jiménez; de Lope de Vega a los números de la revista teatral «La Farsa». Todo alimentaba, sin saciar, un hambre de siglos que lo devoraba por dentro. Todo le parecía poco.

Y todo era poco para aquella inteligencia necesitada de desarrollo, para aquella memoria huérfana de conocimientos, para aquella sensibilidad ávida de relaciones y de imágenes. Miguel era un pozo sin fondo, una llanura intensa, una galaxia en expansión. Pero era también el magma de un volcán que entraría muy pronto en erupción: en cuanto se produjera la chispa que hiciera saltar y removerse los cimientos de sus sentidos, tanto tiempo atentos a lo que se producía a su alrededor.

Empieza a escribir, en silencio, sin duda en el silencio del campo, apenas matizado por algún balido o por el canto de algún pájaro cuyas características conocía bien. Quizás bajo el sol ardiente que le proporcionó el tono moreno y la faz campesina observada y destacada en los retratos literarios que de él hicieron:

Sus ojos son, sobre el árido paisaje de la piel arcillosa, dos fuentes azules bajo una frente orgullosa, protestativa. Ojos grandes, casi sobresalientes, que pasan del más infantil, expectante asombro, a la quietud melancólica de quien se acostumbró al monólogo, y que al entrecerrarse en la sonrisa concentra toda la satisfacción transfigurada de su expresivo rostro. La nariz le creció un tanto respingada, para prever el susto de la risa siempre inminente. Las orejas se abren como abanicos para recibir su relámpago noble. Es esa risa ancha, que deja ver el maizal blanco de una dentadura perfecta y maciza, lo que da apogeo al bulbo redondo y deja en nosotros, vivo, su recuerdo de eterno adolescente. Los labios, al cerrarse, pasada la iluminación fruncen sus veteaduras y todo vuelve al estado primario, original, terroso.

«Con cara de patata recién sacada de la tierra», que diría Neruda, Miguel trepaba por las rocas de detrás de su casa para perderse, monte arriba,[6] con un hatillo de comida y unos papeles, a los que con el tiempo añadió una máquina de escribir. Allí se pasaba domingos enteros, componiendo, alejado del mundanal ruido, más cerca de los ángeles que de los hombres, en contacto directo con la naturaleza vivificante.

O marchaba a zambullirse en las frescas aguas del río Segura, otra de sus pasiones, sin duda porque él era barro, porque se sentía arena del desierto, porque era un hombre apegado a la tierra y le hacía falta el agua para poder seguir viviendo.

Para poder seguir viviendo como poeta necesitaba no sólo escribir, sino unos lectores, un auditorio ante el cual contrastar sus textos. Este auditorio lo encontró muy pronto en el grupo de jóvenes que se reunía en la panadería de los hermanos Carlos y Efrén Fenoll.[7] Asistían a las juveniles tertulias el que llegó a ser mejor amigo de Miguel, Ramón Sijé,[8] Gabriel Sijé,[9] hermano de Ramón, y Josefina Fenoll, «la panadera lilial de piel de era», como él la denominó.

Ramón Sijé, que había cursado estudios en la Universidad de Murcia, se convierte en el segundo guía espiritual y de lecturas de Miguel, a quien presta libros y a quien orienta y alienta en sus escritos. Pronto el poeta-pastor destaca sobre todos sus contertulios y ve publicados algunos poemas primerizos en la prensa local —*El Pueblo*— y provincial —*El Día*—.[10]

Todos advierten que Miguel tiene madera de poeta, y creen firmemente que puede triunfar en su empeño. Aunque para con-

---

[6] La colina La Muela, donde se encontraban las ruinas del castillo y el seminario.

[7] La panadería estaba situada en el número 5 de la calle Arriba. Miguel vivía en el número 73.

[8] Se llamaba realmente José Marín Gutiérrez.

[9] Su nombre era Justino.

[10] Diario de Alicante dirigido por don Juan Sansano.

seguirlo necesita un refrendo de mayor entidad. El primer intento es la lectura en el Casino de Orihuela de su «Elegía media del toro», un acto en que llamó la atención del público, pero que su familia no llegó a comprender. Luego, lecturas en el Café de Levante, la Casa del Pueblo y el Círculo Católico. El siguiente paso debe darse en Madrid, donde un grupo de poetas —los que luego llegarán a conocerse como «generación del 27»— ha dado en los últimos años un golpe de timón definitivo a la poesía española.

En diciembre de 1931, arropado por el calor y la ayuda económica de sus amigos, parte, lleno de ilusiones, hacia la capital de España, abandonando la Arcadia feliz en que se habían desarrollado los primeros 21 años de su vida.

1.2. *Menosprecio y alabanza de corte*

Madrid era ancha y ajena para el joven provinciano, que apenas había rebasado los límites de su villa natal. Un mundo demasiado urbano, un lugar inasible, donde el recuerdo de Orihuela le hace pensar que cualquier tiempo pasado fue mejor.

La capital, por la que se mueven muchos millares de personas, bastantes escritores meritorios, algunos de los mejores poetas del momento, lo desborda por su magnitud. No está capacitado todavía para abrirse paso entre esa barahúnda. Atrapado en la gran ciudad que lo oprime y no le permite expandir sus alas, empieza a darse cuenta de su propia osadía, se siente a los pies del ídolo, y apenas entra en contacto con quienes estaban en primera línea de las letras. Sólo Concha Albornoz y Ernesto Giménez Caballero le abren sus brazos.

Una entrevista en *La Gaceta Literaria* y otra en *La Estampa* fueron el escaso fruto de ese primer y fallido viaje a Madrid. Para colmo de males, el dinero se terminaba, y montó en el tren, a mitad de mayo de 1932, de vuelta a Orihuela, con un billete de tarifa reducida que consiguió con una cédula de identificación que no le correspondía. La guardia civil lo detuvo y le hizo pasar los primeros tragos amargos de su vida.

Regresaba bastante desanimado, sin haber escrito más que alguna carta y muy pocos versos, y considerando que Madrid no le había impactado. Sus reflexiones eran, sin duda, fruto del desencanto, ya que se había trasladado a la capital buscando un empleo que le permitiera entregarse a la creación poética, y regresaba con las manos vacías.

Pronto, sin embargo, en su ciudad natal, encuentra un trabajo de contador en una mercería y la inspiración suficiente para acometer *Perito en lunas,* donde la influencia de Góngora, Guillén y Alberti es palpable.

Cuando se inaugura un monumento a Gabriel Miró en Orihuela, Miguel tiene ocasión de conocer a Carmen Conde y Antonio Oliver, fundadores de la Universidad Popular de Cartagena, con quienes iniciará un fértil amistad.

Publicado su primer libro, en enero de 1933, el joven poeta está como niño con zapatos nuevos, pese a que pasa desapercibido para gran parte de los críticos del momento. Será García Lorca uno de los pocos que lo animen y le busquen a alguien que lo comente en la prensa.

Mientras tanto, se pone a trabajar en un auto sacramental, *La danzarina bíblica,* a imitación de los autos de Calderón, y encuentra un trabajo más adecuado a su capacidad intelectual en una notaría. [11] Y conoce a una chica, Josefina Manresa, que hace sus primeras labores en un taller de costura. A partir de ese instante surge en su poesía un tema nuevo, el amor, que permanecerá como elemento fundamental a lo largo de toda su trayectoria.

Los poemas que este amor le inspira van cobrando forma de soneto y reuniéndose hasta configurar, con el tiempo, el bloque fundamental de *El rayo que no cesa.*

---

[11] La de don Luis Meneses, para quien trabaja como secretario.

Publica en la revista oriolana *El Gallo Crisis* un par de escenas de su obra dramática *El torero más valiente,* y prepara su segundo asalto a Madrid por medio de cartas a varios amigos y conocidos para que le busquen algún empleo de acuerdo con sus características.

La segunda etapa madrileña comienza con mejores auspicios: José Bergamín le publica su auto sacramental *Quién te ha visto y quién te ve y sombra de lo que eras* en la revista *Cruz y Raya,* pagándole, además, por ello, al parecer, 200 pesetas, dinero, que, si lo llegó a recibir, buena falta le hacía.

Por otra parte, José María de Cossío, que prepara una gran obra taurina en Espasa-Calpe, lo nombra su secretario para que le busque datos y redacte notas sobre toreros. La ocupación no sólo le sirvió como fuente de ingresos providencial, sino que le permitió ahondar en el mundo del toro y del toreo, otro de sus grandes temas poéticos.

Todo iba sobre ruedas en 1934, de modo que Miguel se hacía ilusiones y pensaba en la posibilidad de casarse y dedicarse a la poesía y al teatro plenamente, llevándose a Josefina consigo. Madrid ya no lo incomodaba como un par de años atrás, aunque debía admitir que le molestaban el ruido, el tráfico y, en especial, los tejemanejes entre los distintos grupos de escritores. Conoce poco a poco a los cabecillas de las diversas tendencias: María Zambrano, Altolaguirre, Luis Felipe Vivanco, Antonio Aparicio, Cernuda, Luis Enrique Délano y, sobre todo, a Pablo Neruda. Éste se convertirá casi de inmediato en amigo y maestro, y su *Residencia en la tierra* le influirá de un modo irresistible.

Es un joven provinciano, bastante ingenuo, primitivo, poco cultivado, pero todos advierten en él una fuerza especial que lo hace distinto, un tesón poco común, un instinto natural para la poesía que sólo necesita encontrar el cauce apropiado.

Orihuela, Josefina y los toros condensan sus intereses, que viajan todavía en compañía de la profunda religiosidad inculcada por los jesuitas y por sus compañeros de primeras tertulias, en especial Ramón Sijé. Éste seguía adelante con la revista de tinte católico *El Gallo Crisis,* pero Miguel se encontró con ásperas críticas cuando intentó propagarla entre los círculos literarios madrileños. La revista rezumaba demasiado tufo a iglesia, y el joven poeta se percató de que ésa era una línea completamente alejada de los intereses líricos del momento.

Se inicia en Miguel, con el rechazo de *El Gallo Crisis* y con las proclamas de la revista *Caballo Verde para la Poesía,* que dirigía Neruda, una crisis que no es de identidad personal, sino de identificación poética. Una crisis, pues, que significa reflexión sobre lo que hacen los demás y lo que hace él. Reflexión que se agudiza cuando, en 1935, Vicente Aleixandre publica *La destrucción o el amor.* Pablo Neruda y Vicente Aleixandre serán desde esos momentos sus mejores referencias líricas, y fueron, desde entonces, dos de sus más entrañables amigos, como demostraron en numerosas ocasiones.

La crisis alcanza también a su relación con Josefina, que pasa por unos meses de enfriamiento. Los motivos han de hallarse en el distanciamiento físico, pero también en el distanciamiento religioso: ella seguía apegada al terruño y a las devociones católicas, y él estaba ya bastante desapegado de uno y de otras.

A finales de 1935, conocido y aceptado ya por la mayoría de los poetas del momento, tiene prácticamente terminado *El rayo que no cesa,* y se siente bastante a gusto en Madrid. Pero un acontecimiento vino a estremecerlo hasta lo más profundo: la inesperada muerte de su querido amigo Ramón Sijé.

Compone entonces su «Elegía» al gran amigo, maestro, valedor y compañero de andanzas literarias, incorporándola enseguida a *El rayo que no cesa,* donde acompañaba a un conjunto de textos de tipo amoroso dedicados a Josefina. Una carta a la joven, al mes de haber salido el libro, así lo demuestra:

> Yo, que creía que ya no te acordabas de mí, he puesto esta dedicatoria: «A ti sola, en cumplimiento de una promesa que habrás olvidado como si fuera tuya.» Resulta que ni tú ni

yo hemos dejado de pensar en nosotros. Todos los versos que van en este libro son de amor, y los he hecho pensando en ti, menos unos que van por la muerte de mi amigo.

Al iniciarse 1936 Miguel estaba perfectamente asentado en la capital, codo a codo con los mejores poetas del momento, tras haber homenajeado en su Orihuela natal al «compañero del alma», y con su nuevo libro a punto de salir.

El rayo que no cesa, publicado por Manuel Altolaguirre, supuso una llamada de atención general en los círculos poéticos madrileños, extendiéndose de inmediato a otros ambientes. Juan Ramón Jiménez, que había leído la «Elegía» y otros seis sonetos del libro en la prestigiosa *Revista de Occidente,* no le regatea elogios. Parece que la vida le va a sonreír definitivamente en la capital de España.

1.3. *Un poeta en la Guerra Civil*

Algo se movía en España desde el otoño de 1935, cuando los mineros asturianos habían levantado más que la voz. Pero la vida cultural en Madrid seguía adelante. Las rencillas entre poetas continuaban y algunos no terminaban de asimilar que Miguel Hernández, un pastor recién llegado a la poesía, tuviera el descaro de asomarse a la crítica literaria para opinar sobre lo que se estaba cociendo en el mundo de las letras. Pero el poeta oriolano escribió una reseña alabando *Residencia en la tierra,* de Neruda, que publicó el diario *El Sol* en enero de 1936.

Sale la segunda edición de *Cántico,* de Jorge Guillén, tampoco recibida con los parabienes de la totalidad, y va a hacer lo propio, en seguida, *El rayo que no cesa.*

Como era de esperar, los escritores van tomando posturas ante los acontecimientos sociales. Son momentos de «exaltación del interés político y de creciente estupidez pública», como dice Salinas en una carta a Jorge Guillén que sigue así: «Mucho me temo que Federico en su carrera de noble emulación con Rafael caiga también en el garlito "social". Ya parece que ha escrito un drama comunistísimo para no dejarse pisar. Como detalle pintoresco te diré que en la manifestación de hace quince días se leía un gran letrero que rezaba así: "Los escritores revolucionarios españoles." Lo llevaban, de un extremo Rafael Alberti, de otro Luis Cernuda, y *seguían* Manolo Altolaguirre, sin duda en calidad de masa.»

Ironías aparte, España se agitaba, y Miguel Hernández toma partido, como era lógico, por los menos favorecidos, por los oprimidos, sumando su voz a la de quienes tantas veces había visto llorar de impotencia.

Hombre sencillo y noble como era, hombre justo, natural en el pleno sentido de la palabra, Miguel se dejó conquistar por quienes mantenían la esperanza de que se debía proceder a un cambio, a una renovación en todos los órdenes de la vida.

Unos días de descanso en Orihuela lo conciencian más, si cabe, de los problemas y de la situación del país. Se estaban acrecentando día a día las diferencias entre las dos Españas que helaban el corazón de cualquier poeta. Hasta que se produjo el levantamiento que dio inicio a las hostilidades el 18 de julio de 1936.

La muerte de García Lorca, en los primeros días de la guerra, hallándose él de vacaciones en Orihuela, [12] lo conmocionó. Tanto que, algún tiempo después diría: «Desde las ruinas de sus huesos me empuja el crimen con él cometido por los que no han sido ni serán pueblo jamás, y es su sangre el llamamiento más imperioso y emocionante que siento y que me arrastra hacia la guerra.» [13]

---

[12] Josefina vivía entonces con sus padres en Elda, y Miguel iba a verla todas las tardes montado en bicicleta.

[13] También el padre de Josefina fue asesinado. El 13 de agosto de 1936, en Elda, a manos de milicianos, esto es: de quienes defendían la misma causa que Miguel.

Por esas y otras razones, en septiembre se alista voluntario en el 5.º Regimiento, yéndose a cavar trincheras, hombro con hombro, a pleno sol, con los hombres que habían labrado durante siglos tierras que no eran suyas.

No mucho más tarde, sin embargo, fue nombrado Comisario de Cultura del batallón de «El Campesino».[14] Más y más convencido de las ideas que defiende, Miguel escribe todo tipo de textos poéticos que se publican en diarios, en hojas que se reparten o cuelgan por todas partes, en tarjetas postales que los soldados envían a la familia, o los recita a través de los altavoces del frente.

Miguel empieza a encontrar un sentido nuevo a su poesía. Quedan muy atrás los juegos de adiestramiento poético de su primera juventud, así como los de tinte religioso; no olvida el tema amoroso, que ahora cobra nueva fuerza, ya que tanto él como aquellos a los que dirige sus palabras luchan por el futuro de su sangre: por sus propios hijos; y percibe más vívidamente que nunca otro de sus grandes asuntos: la muerte.

Viaja, compone, lucha realmente por la vida, abriéndose camino a golpe de pluma y a veces de fusil,[15] viendo caer a su lado a algunos de sus amigos. Un trasiego incesante que no merma su afán y su entrega a la causa. Asentado en Jaén, con algo de dinero, por fin, en sus casi siempre exhaustos bolsillos, decide la fecha de la boda: el 9 de marzo de 1937. Matrimonio que se celebró, según Josefina, «a la una de la tarde, en Orihuela,

---

[14] Valentín González, alias «El Campesino», general comunista de la División 46, famoso por sus cualidades como guerrillero.

[15] En un artículo publicado en *Al Ataque* afirmará: «Salimos precipitadamente de Madrid, de uno de sus cuarteles, al que yo había llegado unas noches antes desde mi pueblo. Me dieron un fusil. Lo cogí como una cosa extraña y me lo eché al hombro. Me avergonzaba confesar que no sabía manejarlo.» Y en otro artículo posterior dirá: «Yo seré el poeta dispuesto a empuñar el fusil y a empuñar el romance cuando lo creas conveniente, dispuesto a morir a tu lado: dispuesto a que mi voz sea la que nuestro pueblo mueve sobre nuestra garganta.»

por lo civil y ante Dios, porque en las circunstancias de la guerra no había forma de celebrarlo por la Iglesia».

No mucho después muere en Cox la madre de Josefina.
Miguel prosigue sus actividades a un ritmo frenético, recorriendo buena parte de la zona sur de la península, hasta que
una anemia cerebral lo recluyó en Cox al lado de su esposa.

Fue quizás ésta una de las etapas más felices de su vida, a
pesar de las dificultades de todo tipo que acompañaron a los
recién casados. Miguel seguía escribiendo y lo hacía con sumo
gusto e inspiración, trabajando en *Viento del pueblo* y preparan-
do la inminente publicación de *Teatro en la guerra*.

Seguía siendo el pastor de antaño, [16] pero curtido ahora en
mil batallas. Entre las literarias, algunas le habían proporcionado cierta fama y reconocimiento. De modo que fue invitado a tomar parte en una ponencia colectiva del II Congreso
Internacional de Escritores para la Defensa de la Cultura. Allí
se reencontrará con antiguos conocidos y entablará amistad con
otros hombres de letras. Alberti, Bergamín, Machado, Neruda,
Jean Cassou, César Vallejo, Nicolás Guillén, González Tuñón,
y tantos más.

Y no mucho después, recién aparecido *Teatro en la guerra*, sale de Valencia hacia Moscú, como invitado oficial a las repre-
sentaciones del V Festival de Teatro Soviético. La capital de
la URRS, Leningrado y Kiev fueron los lugares visitados, además de París y Estocolmo, como puntos intermedios en el viaje. El pastor-poeta es ya dramaturgo, y se siente eufórico y
cautivado por cuanto observa. En declaraciones al diario mos-
covita *Izvestia* dirá: «Un pueblo que posee tal arte es, induda-
blemente, un pueblo fuerte y poderoso, que vive una vida brillante, alegre y pletórica.»

---

[16] Tenían entonces una cabra, «Fina», y a su esposa le encantaba tomar
de vez en cuando un vaso de leche recién ordeñada. Pero Miguel, en un gesto de respeto hacia el animal, no solía acceder a ese capricho por no molestar a
la cabra a deshora.

A su vuelta se encontrará todavía con olor a tinta fresca la edición de *Viento del pueblo*, que, prologado por Tomás Navarro Tomás, dedicó a Vicente Aleixandre. Y en ese mismo año verá la luz *El labrador de más aire*.

No terminará el año sin proporcionarle otra gran alegría: el nacimiento de su hijo Manuel Ramón, que le inspiró algunos bellísimos poemas.

Se retira a Cox, en compañía de su esposa e hijo, y culmina la redacción de su drama *El pastor de la muerte*, premiado en el Concurso Nacional de Literatura con un accésit cuya dotación de 3.000 pesetas debió saberle a gloria.

Pero el año 1938 va a proporcionarle pocas alegrías. La guerra está tomando un signo muy contrario a los intereses que Miguel defendía. Pronto se advierte que las tropas republicanas llevan las de perder.

La peor pérdida es, desde luego, la del hijo, que no alcanza todavía el año de vida —muere el 19 de octubre de 1938—, y que supone un golpe tremendo para el poeta oriolano, quien siempre creyó en el valor trascendente de la sangre.

Su segundo hijo, Manuel Miguel, nacido en enero de 1939, vendrá a mitigar su dolor, aunque el fin de la guerra, el 28 de marzo, va a cambiar toda su vida.

Comienza la retirada y el exilio de intelectuales. Miguel no se asila en la embajada de Chile, como se le ofreció. Va a su pueblo, luego a Sevilla, intenta pasar a Portugal, pero es detenido por la policía de aquel país, que lo devolvió a la guardia civil española, dando inicio así su durísimo calvario.

1.4. *El calvario del poeta*

Miguel es un hombre íntegro, y soporta con entereza los castigos corporales a que es sometido. Querían obligarlo a confesarse autor de actos que no había realizado. Pero mantenía la esperanza de salir libre de aquel tormento.

Llevado a la prisión de Torrijos, en Madrid, pide cartas de recomendación a sus antiguos conocidos —Luis Almarcha, Juan Bellod, etc.— para que intercedan por él. También Neruda se pone en movimiento buscando avales.

Mientras tanto, escribe poemas para el *Cancionero y romancero de ausencias;* entre otros, las famosas coplillas «Nanas de la cebolla», inspiradas en el hambre que están padeciendo su mujer y su pequeño hijo.

En la carta donde enviaba a Josefina esos textos que se han hecho justamente inmortales, escribía:

> También paso mis buenos ratos espulgándome, que familia menuda no me falta, y a veces, la crío robusta y grande como el garbanzo. Todo se acabará a fuerza de uña y paciencia o ellos, los piojos, acabarán conmigo. Pero son demasiada poca cosa para mí, tan valiente como siempre, y aunque fueran como elefantes, estos bichos que quieren llevarse mi sangre, los haría desaparecer del mapa de mi cuerpo. ¡Pobre cuerpo! Entre sarna, piojos, chinches y toda clase de animales, sin libertad, sin ti, Josefina, y sin ti, Manolillo de mi alma, no sabe a ratos qué postura tomar y, al fin, toma la de la esperanza que no se pierde nunca.

Como Santa Teresa, aunque sin solicitar la ayuda divina para liberarse de la «familia menuda», saca partido humorístico a su situación, quizás para olvidar así los enormes problemas que entristecen su espíritu.

No todas las recomendaciones llegan, pero las gestiones de Neruda ante el cardenal francés Baudrillart sirven para que lo pongan en libertad, marchando a reunirse con su mujer y su hijo —todavía en Cox— y visitando, en un par de ocasiones, su Orihuela natal.

El día de San Miguel fue detenido otra vez, y llevado al Seminario de Orihuela, entonces convertido en cárcel. Fue ése uno de los períodos en que más hambre pasó, pues le interceptaban la comida enviada por Josefina, que sufría grandes privaciones para conseguírsela.

Nuevamente las gestiones de Neruda —que proporcionaba ayudas económicas a la familia— hicieron que fuese trasladado a Madrid: a la prisión del conde de Toreno. Su única alegría consistió en poder sostener unos instantes a su hijo en brazos momentos antes de subir al tren.

Apenas escribe otra cosa que cartas, cartas en las que se vuelve recurrente sobre un mismo tema: el hambre. Aunque quizás la de no ver a sus seres queridos y pensar que ellos lo están pasando tan mal o peor que él adquiera proporciones insufribles.

En la cárcel acrecienta su amistad con Buero Vallejo, que le hace el conocido retrato destinado a un álbum de recuerdos para su esposa. En la cárcel también ha empezado a fumar, algo que no había hecho hasta entonces. Quemar cigarrillos es una manera de quemar el tiempo, cuyo tránsito se hace insoportable. Claro que sólo fuma cuando lo invitan sus compañeros, o cuando le llega un cigarrillo en carta de Josefina: él no disponía de dinero para poder comprar tabaco. Ni dispuso de habilidad para liar el pitillo.

A mediados de julio de 1940 se procedió a su juicio, y el resultado no pudo ser más negativo: la pena de muerte. Sus amigos se pusieron rápidamente en movimiento, y José María de Cossío consiguió del general Varela la revisión de su proceso, tras la cual le fue conmutada la pena por treinta años de cárcel. Él anunció a Josefina, sin embargo, que la condena era a doce años y un día de prisión menor.

Comienza entonces su peregrinaje por diversas cárceles. De Madrid a Palencia, donde padeció tanto frío que los pies casi se le helaron. Luego al penal de Ocaña. Miguel se debatía entre la esperanza y la desesperanza, obligado a pasar períodos de aislamiento que lo sumían en un mutismo y una soledad inenarrables, y resurgiendo continuamente de sus cenizas con brotes de buen humor, como se advierte en carta a su esposa el 27 de noviembre de 1940:

Mi querida Josefina, como ves, sigo haciendo turismo. Ahora voy a Ocaña, no sé si por mucho tiempo. Salí ayer de Palencia y en Madrid estoy de paso. Siento haber dejado la ciudad de las mantas [17] porque aquel frío y aquellas aguas y aquellas hambres no me sentaban mal del todo.

Un mes más tarde es homenajeado por los compañeros de cárcel, que le ofrecen un banquete. Pequeña alegría que sirve de paréntesis a sus múltiples padecimientos.

Todavía no pierde la esperanza de salir con bien y en un plazo razonable de la cárcel, y escribe a Carlos Rodríguez Spiteri señalando: «el tiempo en la cárcel es para mí una buena lección de vida y de todo lo contrario, y un provechoso curso de humanidades.»

Pero tanto sufrimiento físico, moral y psíquico, tanta privación, tanto encerramiento para un hombre que necesitaba estar al aire libre dejan muy pronto su huella: en mayo de 1941 cae enfermo de bronquitis, que va acompañada de terribles dolores de cabeza.

Miguel entonces empieza a plantearse la posibilidad de un traslado al Reformatorio de Adultos de Alicante, que considera su tabla de salvación. La mediación de Donoso Vergara [18] surte efecto, y es trasladado allí en junio de ese mismo año.

Está más cerca de Josefina y de su hijo, aunque su salud irá empeorando con el paso del tiempo, de modo que en diciembre se le diagnostica un paratifus B, que mina sus escasas defensas.

Su calvario encuentra un escollo más en las privaciones que padecen su mujer y su hijo, y un par de meses más tarde las fiebres tifoideas abren el camino a una tuberculosis irremediable.

Poco antes de morir accede a casarse canónicamente con Josefina, aunque para quererla pensaba que ese trámite era in-

---

[17] Las famosas «mantas de Palencia», cuyo calor, desde luego, él no disfrutó.
[18] Cónsul de la embajada de Chile en España.

necesario. Lo hizo bajo presiones, para «legalizar» su situación bajo el nuevo régimen, y para que les permitieran verse.

El 28 de marzo de 1942, a las cinco y media de la mañana, muere. Era sábado, víspera del Domingo de Ramos. Su cuerpo fue inhumado al día siguiente en el nicho 1.009 del cementerio de Nuestra Señora de los Remedios de Alicante. Unos cuantos amigos y algunos familiares asistieron al entierro. No pudieron cerrarle los ojos, como si hubiera querido seguir disfrutando las maravillas de la creación que aquellos años de cárcel le habían impedido.

2. Trayectoria literaria

Los amantes de las clasificaciones, de la organización de la historia literaria en períodos, generaciones, escuelas o movimientos, incluyen a veces a Miguel Hernández entre el conjunto de poetas que configuran la denominada «promoción de la República», o, más a menudo, en la conocida como «generación del 36». Un grupo donde estaría acompañado, entre otros, por Leopoldo y Juan Panero, Luis Rosales, Luis Felipe Vivanco y Germán Bleiberg. De casi todos ellos, jóvenes poetas que empezaron a dar muestra de sus cualidades durante la República, solían tener buena opinión los miembros de la generación del 27, ya consolidada en esa etapa.

Miguel fue de los últimos en llegar, y rezumaba provincianismo por todos sus poros. Era poeta en estado puro, aunque llevase muchos versos a la espalda. No tuvo —y en esto se distancia de los miembros de su grupo— ocasión de desarrollar todo su potencial lírico, [19] pero la brevedad de su vida no impide observar distintos influjos, planteamientos y evolución en su poesía.

---

[19] Y dramático.

Algunos críticos proponen un seguimiento de su obra a través de los intereses predominantes en cada momento. Otros se inclinan por considerar un desarrollo que partiría de lo popular, para, después de detenerse en lo culto, aterrizar nuevamente en lo popular. Unos cuantos prefieren considerar su tránsito por determinadas escuelas que dejaron evidentes huellas en su quehacer poético. Lo cierto es que en Miguel Hernández cada etapa queda bastante diferenciada de la anterior, sin duda porque es especialmente permeable y está siempre necesitado de nuevas perspectivas. Apenas diez años de producción poética, y podemos distinguir en ella varios períodos.

2.1. _Aprendizaje_

En los primeros años el pastor adolescente descubre el mundo mágico de la poesía a través de lecturas desordenadas. De todas ellas le llegan ecos familiares, palabras maravillosas, asuntos que él conoce de primera mano, pero trascendidos en poemas. Es la etapa de flechazo con la poesía, de enamoramiento súbito: una pasión que lo conmueve hasta lo más hondo.

Miguel se abandona en los brazos de la poesía y no desaprovecha ningún instante: cualquier momento es bueno para gozar de esa felicidad recién descubierta. Pero él no es un contemplativo. Él es, sobre todo, acción. Por eso pasa casi de inmediato de la lectura a la escritura. Un triple salto mortal sin red. Pero está acostumbrado a todo tipo de acrobacias y, en ellas, los animales que pastorea no le sacan ventaja.

Sus primeros poemas reflejarán el entorno en que se mueve y sus preocupaciones; esto es: sus despreocupaciones. Vive inmerso en una naturaleza viva, y ella es quien le dicta aquellos temas sobre los que ha de hablar: pastores, corderos, ríos, barrancos, noches silenciosas; árboles, flores, aves... Es un ejercicio imprescindible si quiere ser poeta, y ya algunos versos de «Pastoril», «Marzo viene» y «Es tu boca» delatan al escritor cuidadoso que busca la mejor expresión a través de los mejores medios.

Difícil encontrar en esos textos primerizos otra cosa que imitación de sus fuentes y deseo de escribir poemas, aunque algunos tuvieron la suerte de ser publicados.

La publicación y el aplauso de los amigos no era suficiente. Miguel necesitaba contrastar su obra entre los entendidos y los críticos, y marchó a Madrid.

2.2. *Afirmación*

A su regreso de la capital, con algunos versos, con un par de entrevistas en las que se destacaba lo pintoresco de su caso —pastor-poeta—, tras superar la cura de humildad a que se vio sometido, pone manos a la obra para practicar buena parte de lo visto y aprendido.

Ha recibido el mensaje: evolucionar o morir. Se ha reciclado en contacto con la vanguardia poética, y ahora está en disposición de apretar los dientes y arrancar de nuevo.

Ya sabe que algunos de los que él tenía por maestros no están precisamente de moda. La generación del 27 ha desarraigado el Modernismo para siempre, y ahora prima el lenguaje metafórico sobre el lenguaje lineal, la poesía lírica sobre la narrativa, Guillén sobre Darío, Góngora por encima de todos.

El influjo de las décimas guillenianas del primer *Cántico* es definitivo sobre el joven Hernández, que ve en el poeta castellano un modelo de perfección formal: estricto pero infinito. El poeta novel se aplica con paciencia y tino en la configuración de décimas y octavas, desarrollando buena parte de su fuerza expresiva en imágenes sugerentes, de gran belleza plástica.

Trabaja incansable, desviviéndose por convertirse en un poeta que reciba los parabienes de público y crítica, en un libro que recibirá varios títulos y pasará por diversas fases hasta convertirse en *Perito en lunas*.

En ese momento Miguel Hernández es perito en echar muchas horas de trabajo a su poesía, en volver y volver sobre ella para ajustar su dicción a lo que quiere expresar. Se está afirmando en su vocación indestructible de poeta. Una vocación que —lo sabe muy bien— será la que consiga sacarlo de sus raíces y de la oscuridad provinciana.

Se componía el libro de 42 octavas reales [20] con un prólogo de Ramón Sijé, y fue publicado en la editorial Sudeste, de Murcia, a principios de 1933.

La crítica, para dolor del joven poeta, o lo olvidó, o lo cuestionó con aspereza, aunque él había conseguido, en palabras de Concha Zardoya, eliminar plenamente la rudeza originaria que creía poseer. Era entonces Miguel el hombre de la tierra que tendía a las formas de expresión más cultas, y estaba superando una tragedia: la del hombre sin cultura que aspiraba a ella y a las más elevadas formas del arte y del pensamiento.

Otros, no obstante, entienden que se estaba traicionando a sí mismo al adoptar un lenguaje que no le correspondía por sus orígenes y por su forma de ser.

Las críticas negativas y, sobre todo, el olvido de su obra, le dolieron profundamente, pues no ignoraba, como manifestó en carta a García Lorca, que en su libro existía «Más personalidad, más valentía, más cojones —a pesar de su aire falso de Góngora— que en todos los de casi todos los poetas consagrados, a los que si se les quitara la firma se les confudiría la voz.»

El poeta granadino, después de bajarle un tanto los humos, señalaba en su respuesta que, en efecto, su libro merecía «la atención y el estímulo y el amor de los buenos», y que «tenía sangre de poeta».

Sin embargo, el libro no dejaba de ser un intento más en su camino hacia la consagración como poeta: su primer paso,

---

[20] Había escrito muchos otros poemas con ese libro como destino, pero la colección donde se publicó no permitía más extensión.

que resultó fallido en algunos aspectos. En su favor, con todo, hay que considerar: 1.°) Miguel encuentra el camino de la imagen a través de un léxico culto que no le era ajeno y no debe considerarse postizo. 2.°) Se ha esforzado, y lo ha hecho con fortuna, en restringir su pensamiento a una fórmula clásica —la octava real—, lo que supone un ejercicio intenso de condensación y reflexión poética. 3.°) En los estrechos márgenes de la octava ha incluido buena parte de sus asuntos poéticos más entrañables —todo lo referido a la huerta oriolana— y lo ha hecho con tintes vanguardistas. 4.°) Ha incorporado, además, a su obra, temas apenas abordados por los poetas de su época, o, cuando menos, insuficiente o en aspectos bien distintos —como el sexo— que lo convierten en un pionero en tales asuntos. 5.°) Ha descubierto el valor simbólico de la luna, a través de la cual establecerá relaciones con los cuernos del toro, la sandía, el pozo, la hogaza, el barril, el retrete, la noria, la navaja, el huevo, el horno, etc., bien alejados de los tópicos románticos.

No todo lo escrito en aquella etapa tuvo cabida dentro de los límites de *Perito en lunas*. Muchos poemas —también octavas— se quedaron fuera, y algunos de ellos de notable interés, como la famosa «Elegía al guardameta», que dedicó a su amigo Manuel Muñoz Soler;[21] la «Citación fatal», en honor de Ignacio Sánchez Mejías; «El silbo del dale», primero de sus textos paralelísticos; varios poemas de temática religiosa; algunos de amor, entre los que destacan los cuatro sonetos de «Imagen de tu huella»; etc.

2.3. *Confirmación*

El joven oriolano confirma a la perfección una máxima: el mejor poeta nace, el mejor poema se hace. Él llevaba, como bien

---

[21] Era el portero del equipo «La Repartidora».

advirtió Neruda, la fuerza de la poesía en sus entrañas. Le faltaba encontrar su fórmula expresiva y los temas más adecuados a sus características.

Se había hecho dueño de las fórmulas durante el período en torno al que compuso *Perito en lunas,* y acababa de descubrir el amor con una chica que trabajaba en un taller de costura de la calle donde había nacido: Josefina. Le faltaba desarrollar sus impulsos amorosos —queda dicho más arriba que su poesía es eco de su vida— mediante los cauces asimilados.

De nuevo en Madrid, el joven poeta, que elabora biografías de toreros y todo tipo de asuntos sobre la fiesta nacional para José María de Cossío, se encuentra casi sin querer con otro de los temas que van a dejar honda huella en su poesía: el toro.

No es asunto novedoso en su obra, pero se injerta en ella con la fuerza de un renuevo para revivificarla. El amor y la imagen del toro llevan implícitas, además, la de la muerte, que cobra una importancia definitiva.

Animado en ese período por sus buenos amigos, entre los que ha de destacarse a Neruda y Aleixandre, Miguel se siente seguro de sí. A finales de 1935 da por concluido *El rayo que no cesa,* que publicará Manuel Altolaguirre en sus ediciones Héroe.

Desde el título se observa la intención de deslumbrar y hacer que se le preste atención perdurable. Y desde luego que lo consigue. Ha ensamblado un conjunto de 30 poemas donde no se cae en ningún tipo de improvisación. Los poemas 1, 15 y 29 ejercen como apertura, eje de simetrías y cierre. El 1 está formado por 9 redondillas aconsonantadas donde propone una declaración de principios: amor y destino. El 15, a través de diversas formas estróficas, da una definición de sí mismo. El 29 —«Elegía a Ramón Sijé»— expresa, a través de un conjunto de tercetos encadenados, todo el dolor del poeta ante el amigo muerto.

Veintisiete sonetos más ocupan el cuerpo principal del libro en el que Miguel ha dejado buena parte de lo mejor de sí mismo. Es un poeta hecho, que sabe plegarse a las condiciones de las estrofas clásicas, pero que lo hace ya con absoluta soltura. Y es capaz, por otra parte, de dejar correr su inspiración en la magnífica elegía al amigo muerto, sin que sufra menoscabo la forma.

El poemario se configura en torno a su destino como hombre, y éste se fundamenta en dos pilares: amor y muerte. El amor que lo lleva en volandas, y la muerte que lo espera, en un acusado tono barroco, para llevárselo «por quererte y sólo por quererte», como termina el soneto final del libro.

Eros y Tánatos se dan la mano en *El rayo que no cesa*. El poeta está enamorado, y este amor, que no puede llevar a sus últimas consecuencias, ese amor que no puede concretar carnalmente, le produce una profunda pena a la cual tampoco da plena rienda suelta.

Miguel se encuentra en una etapa de crisis espiritual. No olvida la religiosidad recibida en el colegio y acrecentada en contacto con la espiritualidad de Ramón Sijé. Conoce los mejores poemas amorosos de nuestra lírica clásica. Pero su pasión es fuerte, y amenaza con romper barreras, con desbordar los límites permitidos por las enseñanzas católicas. El instinto le pide consumar su amor, pero sigue inhibido por la tradición religiosa, que, probablemente, Josefina, miembro de la congregación de las Hijas de María, le pone por delante para frenar sus ímpetus.

De ahí la ruptura interna entre el deseo y el acto que se observa en los poemas del libro, ruptura que origina un dolor muy agudo y muy concreto. Versos de esa misma época, que la autocensura invitó a no colocar en *El rayo que no cesa,* lo atestiguan: «¡Ay qué ganas de amarte contra un árbol!»

Sin duda, el molde del soneto servía también para limitar externamente el ardor que lo devoraba por dentro.

2.4. *Derivación*

Ya habían entrado en la poesía hernandiana los elementos sustanciales que la habían de nutrir. Ya había revitalizado el soneto, como ha dicho algún crítico, «poniéndolo en mil labios jóvenes, como una copa de un vino viejo y embriagador, que une a su sabor añejo el gusto de una sangre ácida, enamorada y triste». Ya conocía el significado de la muerte que se lleva a los seres más queridos. Sólo le faltaba consumar el amor, pero ya era Miguel un hombre hecho, un hombre atento no sólo a lo que ocurría en su interior. Ha salido de sí y empieza a reflejar en su poesía lo que sucede más allá de sus propios muros, de sus necesidades individuales.

Miguel, en contacto con Neruda y otros poetas alejados de la «poesía pura», empieza a sentirse comprometido con los hombres menos favorecidos de su tiempo. Claro que el suyo fue un compromiso previsible: procedía del mismo estrato social que ellos, de modo que no tenía que llevar a cabo ningún esfuerzo sobrehumano para sentirse dentro de su piel.

Cuando estalla la guerra, Miguel se convierte en el poeta del pueblo por antonomasia. Sus poemas llegan a todas partes, tanto a través del papel impreso como de las ondas radiofónicas. Sus «recitales» enervan a quienes los escuchan. «Conecta», que se diría muchos años después, con su público, con su pueblo. También por medio de sus obras teatrales escritas para ese momento especial.

La poesía es el arma que Miguel sí sabe manejar. Y lo va a demostrar en una serie de poemas dispersos de los primeros compases de la guerra y, por supuesto, en *Viento del pueblo*, impreso en Valencia en 1937 y recién salido cuando llega de su periplo por la URSS.

En el prólogo a esa primera edición, Tomás Navarro Tomás señalaba que Miguel «siente con amplitud y profundidad la tragedia de España, el sacrificio del pueblo y la misión de la juventud», aunque no deja de advertir que «se percibe la pugna interna entre el ímpetu de una vigorosa inspiración y la resistencia de un instrumento expresivo insuficientemente dominado», para terminar matizando que sus versos reflejan una honda y cálida sinceridad emocional.

Abre el libro [22] con una espléndida elegía a su amigo Federico, entonces mártir. Y lo continúa con otros 24 textos de diferentes matices: la arenga militar que supone «Vientos del pueblo me llevan»; el recordatorio de la servidumbre secular de los hombres sencillos, en «El niño yuntero» y en el archiconocido «Aceituneros»; el reclamo propagandístico para enrolarse en las filas republicanas, en «Llamo a la juventud»; el canto a la mujer bélica e ideológicamente activa, en «Rosario, dinamitera» o en «Pasionaria»; el agradecimiento a aquellos extranjeros que murieron defendiendo las fuerzas republicanas, en «Al soldado internacional caído en España»; la condena a quienes ayudaron a las tropas nacionales, en «Ceniciento Mussolini»; el ensalzamiento del trabajo manual, en varios poemas; la lucha como paso previo a la felicidad familiar, en «Canción del esposo soldado», etc.

Inicia, con *Viento del pueblo*, la vuelta a sus orígenes: a la sencillez del verso, relegando al olvido los rebuscamientos conceptuales. Recoge para sus imágenes y metáforas elementos de la vida agrícola y campesina en general. Se reencuentra consigo mismo y con lo que más conoce y quiere: la vida rural. «Aceituneros» y «El niño yuntero» pueden considerarse, desde luego, paradigmas de su salto atrás en ese sentido.

En *Viento del pueblo* cambia, fundamentalmente, el tono. Ahora es el del hombre que habla a sus compañeros de fatigas. El de quien, sabiéndose pueblo, ocupa un estrado de cierto privilegio. Un privilegio que no utiliza para su propio bien, sino por el bien del colectivo social en que se incluye. Es una especie de profeta que clama ante los suyos: los anima, se duele con ellos, increpa a los enemigos comunes..., vive sin vivir en sí.

Se cerrará la etapa con *El hombre acecha*, el cual, impreso en 1939, no llegó a encuadernarse. Un libro que, dedicado a Pablo Neruda, sólo constaba de 19 poemas, aunque alcanzaba los 933 versos.

---

[22] Tras una expresiva dedicatoria a Vicente Aleixandre.

La estructura general del poemario gira simétricamente en torno a la «Carta», que ejerce la función de eje, y donde el estribillo tiene acento profético: «Aunque bajo la tierra / mi amante cuerpo esté, / escríbeme a la tierra, / que yo te escribiré.» El primero y el último poema son sendas canciones, y entre éstas y la «Carta» se presentan dos bloques de ocho poemas cada uno: 1-8-1-8-1 es el esquema general del libro.

En general, el tono del conjunto poético puede considerarse continuación de *Viento del pueblo,* aseveración que se apoya también en que algunos textos son de la misma época del libro anterior. Leopoldo De Luis y Jorge Urrutia, que han estudiado detenidamente el volumen, clasifican los poemas en los siguientes grupos: *a) combativos,* entre los que habría que incluir «Llamo al toro de España», «El vuelo de los hombres» y «Oficiales de la VI División»; *b) sociales:* «La fábrica-ciudad», «El hambre» y «Llamo a los poetas»; *c) políticos:* «Rusia»; *d) de afiliación:* «Canción», «El soldado y la nieve», «Carta», «El tren de los heridos», «18-VII-36/18-VII-38», «Madrid», «Madre España» y «Canción última». Los restantes cabrían en varios apartados.

Puede admitirse que el libro refleja la posición que el poeta va asumiendo ante los hechos que se avecinan, esto es, ante la derrota final en la guerra. El poeta pasa poco a poco del tono amargo y desesperanzado a una situación anímica de relajación ante la impotencia. Sólo desea regresar con sus seres queridos, volver a su casa para intentar amortiguar el odio detrás de la ventana.

2.5. *Despedida*

En septiembre de 1939 Miguel entregó a Josefina un bloque de poemas que había ido reuniendo en un cuaderno bajo el título *Cancionero y romancero de ausencias.* Cerraba así su producción volviendo una vez más a sus orígenes: el cuaderno recordaba a otro, de sus años juveniles, donde escribía sus primeros poemas. A aquel conjunto que dio a su esposa se han añadido posteriormente textos escritos entre el 19 de octubre de 1938 y el 17 de septiembre de 1939.

Junto a ellos suelen incluirse otras composiciones de la misma etapa donde se advierte mayor elaboración y están escritas en arte mayor. Se las conoce como *Últimos poemas.*

Configuran el último legado, la despedida poética de Miguel Hernández, e incluyen poemas bellísimos en los que predominan tres temas fundamentales: el amor, la ausencia y la muerte.

Los poemas de esta fase de su vida constituyen una especie de diario íntimo en donde directa o indirectamente manifiesta la tragedia en que se ve envuelto: muerte de su primer hijo, hambre, separación de los seres queridos, pérdida de la guerra, condena a muerte, cárcel, enfermedad... Todo viene a ser, como apunta Leopoldo de Luis, un largo poema fragmentado.

El largo poema fragmentado no consigue eliminar su dolor, aunque en algunos momentos lo mitigue. Logra con él, eso sí, mantener la esperanza durante algún tiempo, el suficiente para resumir en el nuevo hijo las ansias de eternidad, de libertad, de felicidad: «Porvenir de mis huesos / y de mi amor.»

Todo el libro muestra al poeta herido por las tres heridas —la de la vida, la de la muerte, la del amor— que se resumen en una sola: la del amor que traspasa las barreras del tiempo y del espacio.

Ni la guerra, ni la cárcel, ni el odio, ni la depresión podrán triunfar sobre el interminable deseo de amar. Amar en plenitud, con amor de padre y de madre, como se advierte en las «Nanas de la cebolla»; con amor de hijo, con amor sexual. En los postreros poemas, incluidos luego en *Cancionero y romancero de ausencias,* tienen cabida algunos de los mejores poemas eróticos de nuestra lírica de siempre:

> El aire de la noche desordena tus pechos
> y desordena y vuelca los cuerpos con su choque.

> Como una tempestad de enloquecidos lechos
> eclipsa las parejas, las hace un solo bloque.

El vientre de la esposa, lo único que no parece caótico en *Cancionero y romancero de ausencias,* se convierte en imagen del futuro: en él está la claridad de un mundo que se presenta oscuro para el poeta:

> No te quiero a ti sola: te quiero en tu ascendencia
> y en cuanto de tus hijos descenderá mañana.
> Porque la especie humana me han dado por herencia
> la familia de mi hijo será la especie humana.

Aunque en un poema Miguel afirmó «Callo después de muerto», lo cierto es que el poeta de Orihuela ha seguido hablando a través de sus versos a muchas generaciones: las de los hombres sencillos, la de los hombres comprometidos con el mundo, las de los poetas coherentes consigo mismo y con la historia en la que les ha tocado participar.

La muerte de Miguel Hernández se llevó a un hombre íntegro y nos dejó una obra honesta, sin doblez, salida del corazón, un corazón amplio como las heridas que llevó a pecho descubierto: la de la vida, la de la muerte, la del amor.

Bibliografía

Alemany, Carmen (ed.): *Miguel Hernández. El escritor alicantino y la crítica*, Alicante, Caja de Ahorros del Mediterráneo, 1992. Conjunto de estudios sobre distintos aspectos de la obra de Miguel Hernández. Abarca también traducciones.

AA.VV.: *En torno a Miguel Hernández*, Madrid, Castalia, 1978. Recopilación de trabajos sobre la vida y la obra de Miguel Hernández.

Cano Ballesta, Juan: *La poesía de Miguel Hernández*, Madrid, Gredos, 1962, 1971 y ss. Obra fundamental para el conocimiento de la vida y obra del poeta oriolano. Se detiene en el análisis de la imagen poética, el símbolo y el fenómeno visionario.

Chevalier, Marie: *La escritura poética de Miguel Hernández*, Madrid, Siglo XXI, 1977. Estudio bastante completo de su poesía siguiendo un itinerario cronológico, pero ahondando en figuras, formas, influjos, etcétera.

Ifach, María de Gracia (ed.): *Miguel Hernández*, Madrid, Taurus, «El escritor y la crítica», 1975. Recopilación de artículos sobre aspectos varios de la vida y la obra de Miguel Hernández.

López Hernández, Marcela: *Vocabulario de la obra poética de Miguel Hernández*, Salamanca, Universidad de Extremadura, 1992. Inventario de las voces que incluye Miguel Hernández en su obra. Se centra, especialmente, en los sustantivos, adjetivos, verbos, adverbios e interjecciones.

Manresa, Josefina: *Recuerdos de la viuda de Miguel Hernández*, Madrid, Ediciones de la Torre, 1980. Responde al título. Contiene detalles de la vida y de la obra del poeta. Contesta algunos posicionamientos de determinados críticos.

Ramos, Vicente: *Miguel Hernández,* Madrid, Gredos, 1973. Amplio estudio sobre vida y obra de Miguel Hernández, aunque en algunos aspectos ha sido matizado posteriormente.

Romero, Elvio: *Miguel Hernández, destino y poesía.* Buenos Aires, Losada, 1958. Vida y obra analizadas como un todo. Toma partido y lo hace a veces en tono exaltado.

Rovira, José Carlos: *«Cancionero y romancero de ausencias» de Miguel Hernández. Aproximación crítica,* Alicante, Instituto de Estudios Alicantinos, 1976. Estudio pormenorizado del último libro de Miguel Hernández.

—— (coord.): *Miguel Hernández, cincuenta años después,* Alicante, Elche, Orihuela, Comisión del Homenaje a Miguel Hernández, 1992. Son las Actas del I Congreso Internacional, incluyendo ponencias sobre influjos, libros, temas, tanto de la obra poética como de la teatral.

Miguel Hernández arenga a unos soldados republicanos.

Josefina Manresa y Miguel Hernández,
a los tres días de casados.

Manuel Ramón, el primer hijo de Josefina y Miguel, a los seis meses de edad.

Manuel Miguel, el segundo hijo de Josefina y Miguel, a los tres años, recién muerto su padre.

Miguel en Madrid, al principio de la guerra.

Miguel en 1936, en el acto de descubrir la placa a Ramón Sijé.

Tumba de Miguel en el cementerio de Alicante.

DON FIDEL GUTIERREZ JIMENEZ.-- , SUBDIRECTOR DEL CENTRO PENITENCIARIO
DE CUMPLIMIENTO Y DILIGENCIAS DE ALICANTE, DEL QUE ES DIRECTOR DON JOSE LOZANO
CASTRO,

CERTIFICO: Que de los antecedentes que obran en estas oficinas a mi cargo
aparece que MIGUEL HERNANDEZ GILABERT ingresó en este Establecimien-
to el día veintinueve de Junio de mil novecientos cuarenta y uno,-
a disposición de la Dirección General de Prisiones.------------------
en concepto de penado.--------- , donde ha permanecido hasta
el día veintiocho.-- de Marzo.---- de mil novecientos cuarenta
y dos.- falleció a consecuencia de fimia pulmonar.--------------
en que
Este interno cumplía pena de treinta años de reclusión mayor
impuesta en Sumarísimo 21.001 del Juzgado Militar de Madrid.----
Delito de adhesión a la Rebelión militar.--------------

Y para que conste, a petición de su viuda.------ , extiende el presente,
sado por el Sr. Director, en Alicante, a veinticuatro de Marzo de mil novecientos setenta y nueve.-

El Director,

Certificado de reclusión y muerte del poeta.

Nota previa

Esta *Antología* de la obra poética de Miguel Hernández pretende proporcionar una idea lo más amplia posible de su desarrollo como escritor.

Para ello no me he limitado a tomar los mejores poemas de sus libros, sino que he incorporado también otros textos que no fueron incluidos en aquéllos, a veces por motivos de espacio, pero que muy bien pudieron hacerlo y, desde luego, merecen un lugar junto a los que obtuvieron ese privilegio.

En la Introducción, como era de rigor, he proporcionado las pistas para aproximarse a la vida y la obra del escritor oriolano sin incluir excesivas apreciaciones críticas que quizás hubieran estorbado la lectura del lector menos familiarizado con su obra.

La Bibliografía selecciona el enorme caudal de estudios que se han sucedido en los últimos años —especialmente desde el cincuentenario de su muerte, 1992—, relegando al olvido muchos trabajos excelentes. Se obvian también las ediciones de su poesía, así como los estudios sobre su teatro, cuando éstos no se incluyen en obras plurales o libros de Actas.

Los textos incluidos en este volumen han sido tomados de la más actual y completa de las ediciones de la obra hernandiana: *Obra completa*, Madrid, Espasa-Calpe, 1992, 2 vols. He corregido, desde luego, erratas diversas.

ANTOLOGÍA POÉTICA

POEMAS SUELTOS, I

1

A MI ALMA

Murmuran que hablo muy poco
alma los que nada saben
de nuestros largos coloquios.

2

CANCIONCILLA

I

—¿Queda luz?
          —Bien poca:
ya la tarde fina.
—Sapo, toca, toca
tu oca, tu ocarina. [1]   5

---

[1] Obsérvese el juego de palabras originado por la proximidad fonética de los términos utilizados: *toca, oca, ocarina.* Cabría considerar que unos vocablos *arrastran a otros.*

—¿Queda luz?
        —Ninguna:
ya la noche ha entrado.
—Luna, luna, luna,
luna luna el prado.   10

Estridulad, grillos
dorados y rojos.
Astros amarillos,
ensanchad los ojos.

Exultantes aves,   15
meted vuestros trinos
bajo plúmeas llaves.
Teneos, caminos.
Misericordiosos
silencios, reinad   20
en la sombra.
        Osos
y lobos, matad...

Y vosotras, cumbres
que empujáis el cielo,   25
sed bajo las lumbres
celestes del hielo.

II

—¿Viene el alba?
        —Viene:
ya entreabre su flor.   30
—Que tu voz estrene
su luz, ruiseñor.

Que mientras retoña
el alba infantil,
suene tu zampoña   35
zagal pastoril.

Temblad, verdes chopos,
frente al firmamento.
Susurra piropos
a los chopos, viento.   40

Caed de dos en dos,
lentos y apagados
astros, tras de los
callados collados. [2]

Perfuma violeta   45
mi buen corazón,
y tú, alma poeta, [3]
dime una canción.

3

SONETO LUNARIO [(1)]

Echa la luna, en pandos aguaceros,
vahos de luz, que los árboles azulan,

_____

[2] La paronomasia produce estos *callados-collados* con resonancias de San Juan
de la Cruz.   [3] El término *poeta* funciona como bisílabo al convertirse el hiato
oe en un diptongo. Es bastante frecuente en poesía, aunque no resulte precisamente bello.

(1) El soneto incorpora el tema de la luna, que sería objeto de profunda meditación en *Perito en lunas* y en otros textos. Hernández se es-

desde el éter goteado de luceros.
... En las eras, los grillos estridulan. [4]

Con perfumes y armónicas, pululan   5
las brisas por el campo.
                           En los senderos
verdean los lagartos y se ondulan
y silban los reptiles traicioneros.

Oigo un rumor de pasos...
                          —¿Quién se acerca?

¡Desnuda una mujer!   10
                  Su serenata
quiebra el grillo.
                El lagarto huye.
                          Se enrolla
el silbante reptil.
                  Y en una alberca
—arcón donde la luna es tul de plata—
cae la Leda [5] lunar como una joya.

4

A LOS LIBROS BELLOS...

A los libros bellos, pétalos de rosas
ponedle en las páginas...

---

   [4] *estridular:* producir un ruido estridente.   [5] *Leda:* mujer de Tíndaro. Zeus la poseyó metamorfoseada en cisne. Garcilaso y otras lecturas aparecen al fondo de esta cita.

fuerza en un soneto entrecortado, con todo tipo de signos, propio del Modernismo.

A los libros feos,
nada...
(Nada, o pajas.)   5

5

LA CAMPANA Y EL CARAMILLO [2]

En la ermita campesina,
oro en caldo, a la mañana,
echa, fina,
          la campana.

Cuando en ella da la brisa,
dice presta: 5
          ¡Pasa a prisa!
¡Pasa a prisa que hoy es fiesta!

Y la brisa, ya en la umbría:
Pastor, ¿es que no vas tú
a la fiesta de la ermita?
—¡Mi fiesta es el cielo azul!   10

En la ermita campesina,
oro en caldo, a la mañana,
echa, fina,
          la campana.
Cuando el cohete ganas vierte
en la brisa, dice presta: 15

---

[2] La composición toma como motivo situaciones bucólicas, y se
asienta en instrumentos musicales populares. Reproduce, sin duda,
cuestiones autobiográficas.

¡Truena fuerte!
¡Truena fuerte, que hoy es fiesta!

Y el cohete, ya en la umbría
caído: Pastor, ¿no vas
a la fiesta?... ¡Aquí tan solo!...   20
—¡Mi fiesta es la soledad!

En la ermita campesina,
oro en caldo, a la mañana
echa, fina,
        la campana.

Cuando suena, con sordina,   25
el tambor, exclama presta:
¡No retumbes! ¡Trina! ¡Trina,
que hoy es fiesta!

Y los ecos del tambor,
ya en la umbría: Pastorcillo,   30
¿pero no vas a la fiesta?
—¡Mi fiesta está en este sitio!

En la ermita campesina,
oro en caldo, a la mañana
echa, fina,   35
        la campana.
Cuando la dulzaina pita
suavemente, dice presta:
¡Aún más alto! ¡Grita! ¡Grita,
que hoy es fiesta, que hoy es fiesta!

Y las notas, ya en la umbría: 40
Pastor, ¿es que tú no vas

a oír mi música en la fiesta?
—¡Mi música es la de Pan!... [6]

En la ermita campesina,
al llegar la tarde grana,   45
estrangula su voz fina
—oro en caldo— la campana.

Y bajo el callado brillo
de un astro que tremulece,
del pastoral caramillo   50
el armónico aire crece.

6

UN GESTO DEL ALBA [(3)]

¡Oh, qué carcajadas
tan disparatadas
las de las granadas!

(El alba de oro

Risas coralinas   5
entre matutinas
auras y hojas finas.

---

[6] Dios griego que personificaba a la naturaleza. Sus atributos son una siringa, un cayado de pastor, una corona de pino o un ramo, también de pino, en la mano.

[(3)] El colorido y la sonoridad de este poema lo aproximan también al Modernismo.

romper quiere en lloro;

Sobre los ardientes
labios, rubescentes   10
asoman mil dientes.

mas avergonzada

Hay en aposentos
ocultos más cientos
de dientes sangrientos.   15

una gran granada. [7]

Rosada en los llanos
celestes deslíe...
¡Ah, los rubios granos
de la escarcha!   20

  Y ríe.)

7

DÍA ARMÓNICO [(4)]

Hoy el día es un colegio
musical.

_____

[7] Nuevamente juega con la pseudoderivación que parece alentar en *gran-gra-nada.*

[(4)] Todo el poema hace pensar en «Recuerdo infantil» de las *Soledades* de Antonio Machado, aunque aquí el aula esté a campo abierto, las aves asuman el papel de colegiales y el profesor sea el Sol.

Más de un trillón
de aves cantan la lección
de armonía que el egregio
profesor Sol les señala   5
desde su sillón cobalto;
y dan vueltas en lo alto
con un libro abierto: el ala.

8

LAS VESTES DE EOS [5]

Eos [8]
tiene
cuatro
vestes:
una   5
blanca,
que se
ata
cuando
ríe   10
Floreal; [9]
una
rosa,

---

[8] *Eos:* es la personificación de la Aurora. Pertenece a la primera generación divina, la de los Titanes.   [9] *Floreal:* era el octavo mes del calendario republicano francés, cuyos días primero y último coincidían, respectivamente, con el 20 de abril y el 19 de mayo. Significa, pues, el triunfo de la primavera.

(5) El poeta practica todo tipo de metros y ritmos, y se aplica al estudio de la mitología. En el poema efectúa un recorrido por las estaciones del año.

que se
toca   15
cuando el
rudo
dios
Vestumnio [10]
tumba   20
el oro
del trigal;
una
rubia,
que se   25
anuda
cuando
Baco [11]
pasa
dando   30
traspiés
de ebrio
por los
cálidos
viñedos   35
de uvas
de oro
y de rubí;
y otra
roja,   40
que se
emboza
cuando

---

[10] *Vertumno* (no *Vestumnio*) era un dios etrusco, protector de la vegetación, en especial de los árboles frutales. [11] *Baco* (el Dionisos griego) era el dios de la viña, el vino y el delirio místico.

Adonis [12]
en el   45
bosque
sangra
y muere
bajo el
diente   50
del dios
Marte [13]
convertido en jabalí.

* * *

Cuatro
vestes   55
Eos
tiene:
¡yo las vi!

9

SOLEDAD [6]

En esta siesta de otoño,
bajo este olmo colosal,
que ya sus redondas hojas

---

[12] *Adonis:* fruto del incesto entre Mirra y su padre Tías. Uno de los más bellos dioses, que se disputaron Afrodita y Perséfone.   [13] *Marte:* Ares en la mitología griega, el dios de la guerra.

(6) Un poema de tipo narrativo sobre el tema de la soledad, situación que parece inseparable de todo poeta que se precie.

al viento comienzo a echar,
te me das, tú, plenamente,   5
dulce y sola Soledad.
Solamente un solo pájaro,
el mismo de todas las
siestas, teclea en el olmo
su trinado musical,   10
veloz, como si tuviera
mucha prisa en acabar.

¡Cuál te amo! ¡Cuál [14] te agradezco
este venírteme a dar
en esta siesta de otoño,   15
bajo este olmo colosal,
tan dulce, tan plenamente
y tan sola Soledad!

10

PRESENTIMIENTO [7]

Sabe:
        Que me iré, como el sendero,
        muy melancólicamente,
        muy pálido, muy ligero
        y que será muy temprano...

---

[14] El intensificador *cuál* parece recién sacado de la primera escena de *Don Juan Tenorio*, y resulta un poco trasnochado aquí, pese a que cuando Miguel lo utiliza conservaba cierta vigencia.

[7] Aunque el poema no es fruto sino de los problemas de la adolescencia, supone un augurio que se verificaría casi al pie de la letra.

Tal vez no esté todavía   5
el sol en el meridiano.

11

LEYENDO [8]

Un ciprés: a él junto, leo.
(El sol va acortando poco
a poco su fulgor loco.
Preludia un ave un gorjeo.)

Me acuesto en la hierba. Leo.   5
(Es el poniente de hoguera:
contra él una palmera
tiene un débil cabeceo.)

Echo el ojo al hato. Leo.
(Da el sol un golpe mayúsculo   10
a una montaña...
                          Crepúsculo.
Se oye de un agua el chorreo.)

Me pongo sentado. Leo.
(La muriente luz se enjambra [15]
fingiendo una gran Alhambra   15
de mármol cristaloideo.)

---

[15] *enjambrar:* multiplicar o producir en abundancia.

(8) El texto, que reproduce la situación del joven pastor-aprendiz
de poeta y necesitado de lecturas vivificantes, es una imitación de
Guillén.

(Trunca el ave su gorjeo.
Por el oriente descuella
la noche.

     ¿Nace una estrella?)
No quedan luces... No leo.   20

12

COLORÍN (9)

Colorado colorín, 16
¡Cómo alegras mi jardín
sin un ave melodiosa,
ni una hoja ni una rosa!
Colorado colorín,   5
canta, encántame sin fin.
Bate, bate magistral
la bolita de cristal
o el levísimo clarín
que, sin duda, en el estuche   10
de tu buche
has metido, colorín.
¡Cómo alegras mi jardín!,
donde ayer fui un verderol,
y una rosa, y un jazmín,   15
y en el que hoy tan sólo hallo

---

16 *colorín:* jilguero.

(9) Otro poema «de prácticas», «de deberes». En él reconocemos hallazgos interesantes, juegos de palabras, versos de pie quebrado, rimas de cierto mérito y el uso repetitivo del estribillo infantil que le da cierta sonoridad y alegría.

hojas secas y verdín...
Canta, encántame en un tallo
de este desmayado sol,
colorado colorín.   20
Colorado colorín,
has llegado a mi jardín
cuando todo está sombrío...
Cuando cae de un cielo cinc
una lluvia, como un río,   25
con quejoso retintín.
Las fontanas se han cuajado;
tus hermanos se han marchado,
y en el prado,
bajo un grande viento frío,   30
un sonido malhadado
dan las hojas con orín.
—¡Pío!... ¡Pío, pío, pío!...
¡Colorado
colorín!   35

13

IMPOSIBLE [10]

Quiero morirme riendo,
no quiero morirme serio;
y que me den tierra pronto...
pero no de cementerio.

No quiero morir —dormir—,   5
no quiero dormir muriendo

(10) Nuevo poema con temores adolescentes como fundamento,
pero también premonitorio.

en un estéril jardín...
¡Yo quiero morir viviendo!

Quiero dormir... ¿Dónde?... Sea
donde lo quiera el Destino: 10
en un surco de barbecho,
a la vera de un camino...

En una selva ignorada,
o a la orilla de un riachuelo
de esos tan claros, que están   15
venga a robar cielo al cielo.

Que cuando mi carne sea
nada en polvo, broten flores
de ella, donde caiga escarcha
y escarcha de ruiseñores.   20

Que resbale por mi cuerpo
la corriente cristalina
y ladronzuela, sacándole
alguna nota argentina.

Que escuche mi oído armónico,   25
en cuanto el día se vuelva
ascua, la armonía virgen
del virgen Pan de la selva.

Que nazcan espigas fáciles
con luminosas aristas   30
de mi pecho, que ama el arte,
para recreo de artistas...
No quiero morir —dormir—,
no quiero dormir muriendo
en sagrada tierra estéril...   35
¡Yo quiero morir viviendo!

14

¡EN MI BARRAQUICA! [11]

¡Siñor amo, por la virgencica,
ascucha al que ruega!...
A este huertanico
de cana caeza,
a este probe viejo   5
que a sus pies se muestra
¡y enjamás s'humilló ante denguno
que de güesos juera!
¡Que namá se ha postrao elande Dios
de la forma esta!   10
M'oiga siñor amo.
M'oiga osté y comprenda
que no es una hestoria que yo he fabricao
sino verdaera.
¿Por qué siñor amo   15
me echa de la tierra,
de la barraquica ande la luz vide
por la vez primera?
¿Porque no le cumplo? ¿Porque no le pago?
¡Por la virgencica, tenga osté pacencia!   20
Han venío las güeltas malas, mu remalas.
¡Créalo! No han habío cuasi ná e cosechas:

---

(11) Tenía Miguel 19 años cuando compuso este poema en el que, utilizando expresiones propias de la gente humilde y sin cultura, aborda un tema social, el del huertano que es arrojado del predio que trabaja por no poder pagar al amo. Cuando lleguen los primeros avisos de rebelión ante situaciones de injusticia, allá por 1935, el poeta no tendrá sino que volver a sus recuerdos para hacerlas suyas. Puede haber reminiscencias de Gabriel y Galán.

Me s'heló la naranja del huerto;
no valió la almendra
y las crillas [17] del verdeo, el río   25
cuando se esbordó, de ellas me dio cuenta
que las pudrió tuicas: no he recogío
pa pagar la jüerza!
¡Créalo siñor amo! ¡Y si no osté vaya
a mi barraquica y verá probeza!   30
Ella está en derrumbe,
de agujeros llena,
por ande entra el sol, por ande entra el frío
y las lluvias entran.
¡Créalo siñor amo! Y también mi esposa   35
paece lo suyo y no por enferma,
que es de ver que sus pequeñujicos
de pan escasean,
y lo mesmo en verano que invierno
desnúas sus carnes las llevan.   40
¡Créalo siñor amo! y ¡aspérese al tiempo
que cumplirle puea!
Yo le pagaré tuico lo que debo.
¡Tenga osté pacencia!
¡Ay! no me'eche, no m'eche por Dios   45
de la quería tierra,
que yo quió morirme
ande yo naciera.
¡En mi barraquica llena de gujeros,
de miseria llena!   50

En la huerta, 15 de enero de 1930.

---

[17] *crillas:* debe tratarse de *criadillas,* hongos carnosos que nacen espontánea-
mente en determinados lugares bajo tierra, y que suelen resultar muy sabrosos.
En algunos sitios se adiestran cerdos para localizarlas. No reconoce esta voz
Marcela López Hernández en su *Vocabulario de la obra poética de Miguel Hernández.*

15

«FLOR DEL ARROYO» [12]

Alocada mariposa.
Figurilla de marfil
débil, morena y hermosa.
La más primorosa rosa
de un alba del bello Abril.   5

Esto la gente decía
que era una niña gitana
que vieron llegar un día
por los caminos de Hungría
tras errante caravana.   10

Mostrando un gallardo talle
de venusina escultura
y andares de ave de valle
corría de plaza en calle
a echar la buenaventura.   15

Con la ropa de colores,
la boca de risa prieta,
llenos de extraños fulgores
los ojos fascinadores,
y la ronca pandereta.   20

(12) El poema, de fundamento modernista, puede tener sus fuentes en la gitanilla cervantina. No hay que olvidar, sin embargo, «La niña del cuévano», que Gabriel Miró había publicado en *El Heraldo* de Madrid, el 29 de mayo de 1908, y editado más tarde en *Los amigos, los amantes y la muerte* (1915) y *Del vivir. Corpus y otros cuentos* (1926). El tema, por supuesto, es de origen popular.

Al transeúnte [18] detenía;
mientras el cuerpo serrano
  arqueaba y retorcía,
  el porvenir le leía
en los trazos de la mano.   25

Siempre así: lúbrica y pura
iba la flor del arroyo,
toda vida y hermosura,
sin que en su marcha insegura
hallara ningún escollo.   30

Pero llegó a detenerla
en aquel camino un hombre:
se enamoró de ella al verla,
se acordó un día de quererla
y al otro..., ni de su nombre.   35

Y la pobre gitanilla
que había puesto todo el fuego
de su alma ardiente y sencilla
al amar, no la mancilla,
el desamor lloró luego.   40

Su pandereta sonando,
moviendo su grácil talle,
su dolor disimulando,
riente al transeúnte abordando,
cayó muerta un día en la calle.   45

Alocada mariposa.
Figurilla de marfil

---

[18] El poeta transforma el hiato *eú*, producido por el acento, en un diptongo, debido a necesidades métricas.

débil, morena y hermosa.
La más primorosa rosa
de un alba del bello Abril.   50

Esto sólo con voz huera,
dijo de la sin apoyo
la gente —siempre embustera—.
No hubo nadie que dijera:
¡Era una flor del arroyo!   55

16

A LA SEÑORITA... [13]

¿Que qué te ofrezco me dices
para que en tus brazos pueda
vivir momentos felices
y acariciar los matices
de tu tez de rosa y seda...?   5
¿Para anegarme en la loca
luz que rutila en tus ojos;
para calmar con mi boca
esta sed que me sofoca
de amor, en tus labios rojos...?   10
¿Para en tu faz no observar
un desdén que no merezco,
para poderte adorar,
peregrina hija de Agar, [19]

---

[19] Agar (o Hagar) era la esclava egipcia de Sara, mujer de Abraham. Se con-

(13) Otro texto de tintes modernistas. Miguel no conoce todavía a Josefina. Sin embargo, algunos detalles apuntan a su mejor poesía amorosa.

me dices que qué te ofrezco...?   15
¡Ah, hermosa e ingrata dama!
¡Ah, reina de talle moro!
Pues que tu ambición reclama
tesoros de quien te ama,
¡toma mi mayor tesoro!   20
Un huerto de albos azahares
es todo el tesoro mío;
un alma experta en cantares,
una choza entre cañares
y a la orillica del río.   25
Un jardín, donde levanta
su grácil tallo la flor,
un jirón de tierra santa,
una guitarra que canta
y mucho amor, ¡mucho amor...!   30
Si acaso, mujer querida,
no vieras con todo esto
tu loca ambición cumplida,
toma mi sangre y mi vida,
que a dártela estoy dispuesto.   35

17

BALADA DE LA JUVENTUD [14]

Llegó a mí triunfante: la vi, y la sorpresa
como un licor grato mi alma embargó...

---

virtió en la madre de Ismael y la madre de las doce tribus ismaelitas. Forma aquí
eje de una metáfora para indicar que la joven es morena, una belleza árabe.

(14) El eco de Rubén Darío está especialmente presente en este
poema. La línea de puntos entre las dos últimas estrofas recuerda asi-

¿Quién eres?... —le dije: ¿Divina princesa?
¿Hermoso fantasma? —Su boca de fresa
se abrió dulcemente y así musitó: 5

«Soy el hada blanca que deja el camino
fatal de la Vida regado de luz;
que enciende en las almas un fuego divino;
que oculta al humo su pobre destino
y de su existencia suaviza la cruz.   10

Yo soy roja rosa que se abre lozana
al cálido beso del sol del Abril;
yo soy de la Vida la Aurora galana
naciendo entre nubes de ópalo y grana,
naciendo entre perlas y aljófares [20] mil.   15

Yo soy sueño cándido; yo soy fuente viva
que va fugitiva por campo feraz;
yo soy dulce abeja zumbante y activa
que a todas las flores sus néctares liba;
yo soy nube de oro que pasa fugaz.   20

Yo soy fuerte hoguera que inmensa se inflama
la sangre en las venas haciendo rugir;
poniendo en los ojos reflejos de llama,
los pechos cubriendo de ignífera escama,
haciendo gozosas las fibras crujir.   25

Mi aliento da al viento más notas que el ave,
mi vida está urdida con una ilusión;

---

[20] *aljófar:* perla de forma irregular y de pequeño tamaño.

mismo la fragmentación propia del Romanticismo y, más concretamente, de Bécquer.

del cruel desengaño mi pecho no sabe;
en mí la sombría Tristeza no cabe;
en mi alma la Pena no encuentra mansión.   30

Alcázares finjo más altos que montes;
escalo las bóvedas de ingrávido tul
asida a las ruedas de alados Faetones; [21]
ensueño quimeras; oteo horizontes
de nieve, de rosa, de nácar, de azul.   35

Yo soy gentil góndola que llégase henchida
de fe y de optimismo al fondo del mar;
yo soy copa llena de ardiente bebida;
yo soy del gran libro que forma la Vida
la página de oro que puede mostrar.   40

No encuentro en mi senda traidores abrojos,
ni zarzas rastreras, ni acíbar, ni hiel;
la encuentro alfombrada de pétalos rojos
de ufanos claveles, de hilados embojos,
de luz, de alegría de rosas, de miel.   45

De fúlgidas luces empapo los días;
los tristes crepúsculos de gayo [22] color;
los huecos espacios de un mar de armonías
y un mar de fragancias; las noches sombrías
de encantos, de risas, de besos, ¡de amor!   50

Yo soy virgen casta que todos adoran,
que todos aguardan con viva inquietud;

---

[21] Faetón o Faetonte era hijo del Sol y de Clímene. Rogó a su padre que lo dejase montar en el carro solar. Sin embargo, pronto se aterró y estuvo a punto de incendiar la Tierra y causar mil desgracias, por lo que el Sol lo fulminó, precipitándolo en el río Erídano.   [22] *gayo:* alegre, vistoso.

yo soy manjar rico que todos devoran;
amante a quien todos suspiran y lloran
cuando huye a otros brazos; ¡yo soy Juventud!»   55

Al oírla, a mis ojos un mundo risueño
vi abrirse, a mis plantas hallé dichas mil...
Mas, cuando ya de ella creíame dueño,
de mí se alejaba lo mismo que un sueño,
lo mismo que un soplo de brisa sutil...   60
....

A veces me digo con honda tristeza:
¿Vendrá a mí aún el hada bendita que huyó?...
Mi frente surcada, mi cana cabeza
y el fuego de mi alma que a helarse ya empieza,
responde con mudas palabras: ¡No! ¡No!   65

18

POESÍA [15]

¡Poesía! Yo querría
por un mágico conjuro
o un diabólico poder de hechicería
expresar sublimemente lo que dice a mi estro oscuro
el sonoro nombre puro: 5
¡Poesía!

Definirla con hipérboles y metáforas ideales
que pasaran arrastrando vibraciones argentinas,

(15) Resulta un poco pronto para que Miguel Hernández se atreva a definir la poesía, pero forma parte de sus preocupaciones y, sin duda, de sus lecturas de esa época.

trinos de aves matinales,
notas de arpas celestiales,   10
vivas luces peregrinas.

Sé que es hálito que viene cual insólito cometa
por los mundos siderales del aliento del Señor
y se prende en el espíritu-luz del bíblico Profeta
y en el alma sensitiva del Poeta   15
soñador.

Sé que es ángel esplendente; sé que es fuente de suspiros
que en las bocas se derrama;
mariposa que en los pechos describiendo va áureos giros;
sarta hermosa de zafiros;   20
hada bella hecha con átomos de llama.

Sé que espejo es de la vida; sé que es ave
cantadora;
regia nave
que nos porta a la región que nadie sabe;   25
turbadora
bella música suave...

Sé también que es de Natura la ideálica pintura. [23]
Ella en rasgos prodigiosos el momento
de la casta aurora pinta;   30
cuando arroja ésta las sombras del nimbado firmamento
y en un cuadro en coloridos opulento
suelta el sol su cabellera despidiendo rosa tinta,
y la tierra pulimenta de brillantes resplandores,
y las almas desaloja de los buitres de la pena,   35
y enajena

---

[23] La rima interna *Natura: pintura* es propia de esta época primeriza. Existen otros casos en textos anteriores.

los espacios con unánimes rumores,
y abre el cáliz de las flores,
y sacude alegremente la orilla del río amena.

De pronto una honda ráfaga la feble cinta suelta,
y al suelo, en el estrépito de una grandiosa vuelta,
cae muerto bajo el chorro dorado de los dátiles.

19

ANCIANIDAD [16]

Son mis manos sarmientos; es mi cuerpo encorvado
débil rama que el viento más ligero conmueve;
vacilante es mi paso; es mi voz soplo leve
que despide mi pecho de vigor despojado.

Un sol es mi mirada para siempre apagado,   5
es un pozo mi boca que ya sólo hiel bebe,
y es mi frente que orlan blancos copos de nieve
un barbecho que en surcos mil el tiempo ha labrado.

Por eso huyo del mundo: me fatiga y me ahoga...
—¿Dónde vas, ¡necio!, dónde? —una voz me interroga   10
que en el fondo de mi alma como un trueno retumba.

Yo prosigo alejándome; y otra voz parecida:
—¿De quién huyes?... —me dice con rencor. —¡De la
                                                    [vida!
—¿Qué pretendes...? —¡La muerte! —¿Quién te llama?
                                              —¡La tumba! 15

〜〜〜〜〜〜〜〜〜〜〜〜〜〜〜〜〜〜〜〜〜〜〜〜〜〜〜〜〜〜〜〜〜〜

(16) Nuevo poema de tintes modernistas. Otra «práctica», también, en este caso del soneto alejandrino.

PERITO EN LUNAS

1

TORO

¡A la gloria, a la gloria toreadores!
La hora es de mi luna menos cuarto. [24]
Émulos imprudentes del lagarto, [25]
magnificaos el lomo de colores.
Por el arco, contra los picadores,   5
del cuerno, flecha, a dispararme parto. [26]
¡A la gloria, si yo antes no os ancoro, [27]
—golfo de arena—, en mis bigotes de oro! [28]

2

TORERO

Por el lugar mejor de tu persona, [29]
donde capullo tórnase la seda, [30]

---

[24] *luna menos cuarto:* los cuernos del toro.   [25] Los toreros, con sus trajes brillantes bajo el sol, emulan a los lagartos.   [26] El toro es arco y flecha que se dispara contra los picadores.   [27] *si yo antes no os ancoro:* si yo no os clavo antes los cuernos.   [28] *bigotes de oro:* el hocico del toro lleno de arena.   [29] El pecho del torero.   [30] Ensartado el matador por el pecho, la camisa de seda se vuelve rosada, como un capullo.

fiel de tu peso [31] alternativo queda,
y de liras el alma te corona.
¡Ya te lunaste! Y cuanto más se encona,   5
más. Y más te hace eje de la rueda [32]
de arena, que desprecia mientras junta
todo tu oro desde punta a punta.

3

PALMERA

Anda, columna; ten un desenlace
de surtidor. [33] Principia por espuela.
Pon a la luna un tirabuzón. Hace
el camello [34] más alto de canela.
Resuelta en claustro viento esbelto pace,   5
oasis de beldad a toda vela
con gargantillas de oro en la garganta:
fundada en ti se iza la sierpe, y canta. [35]

4

SEXO EN INSTANTE, 2

¡Al polo norte del limón amargo [36]
desde tu arena azul, cociente higuera!

---

[31] La figura del torero, en el aire, como una balanza.   [32] *rueda:* el ruedo, el coso taurino.   [33] El tronco de la palmera —*columna*— termina en un surtidor —las hojas—.   [34] *camello:* la joroba de la que salen las hojas.   [35] El viento silba entre las hojas. La serpiente que silba aparece en varios poemas de M. Hernández.   [36] Hacia los blancos pechos femeninos, hacia la pureza femenina tiende el sexo del poeta —cociente higuera.

Al polo norte del limón subiera,
que no a tu sur, y subo sin embargo.
Colateral a tu almidón, [37] más largo,   5
aquél amaga de otra y una esfera.
A dedo en río falta anillo en puente; [38]
¡cómo he de vadearte lentamente!

5

ESPANTAPÁJAROS

Es demasiado poco maniquí,
vivo al viento del más visible trigo,
la caña de la escoba para ti,
a la fuerza del pájaro enemigo.

Donde los picos restan pan, allí   5
te eriges con tu aire de mendigo,
meseguero [39] incorpóreo, que has dejado
riéndose tu cabeza en el granado.

6

LA GRANADA

Sobre el patrón de vuestra risa media,
reales alcancías de collares, [40]
se recorta, velada, una tragedia

---

[37] *almidón:* el proceso eréctil del miembro masculino.   [38] Metáfora de tipo
sexual: las expresiones *dedo/anillo, río/puente,* significan el acoplamiento.   [39] *meseguero:* el que guarda las mieses.   [40] *reales alcancías de collares:* la corona de la
granada.

de aglomerados rojos, rojos zares. [41]
Recomendable sangre, enciclopedia   5
del rubor, corazones, si mollares,
con un tic-tac en plenilunio, abiertos,
como revoluciones de los huertos.

7

VELETAS

Danzarinas en vértices cristianos
injertadas: bakeres [42] más viüdas, [43]
que danzan con los vientos, ya gitanos [44]
de palmas y campanas, puntiagudas.
Negros, hacen los vientos gestos planos,   5
índices, si no agallas, de sus dudas,
pero siempre a los nortes y a los estes
danzarinas, si etíopes, celestes.

8

HORNO Y LUNA [(18)]

Hay un constante estío de ceniza
para curtir la luna de la era,

---

[41] *rojos zares:* puede estar aludiendo a la revolución rusa de 1917 y el golpe de estado bolchevique.   [42] *bakeres:* convierte a la célebre bailarina Josephine Baker en objeto de metáfora.   [43] La tilde sobre la *u*, en *viüda*, convierte el vocablo en trisílabo, por necesidades métricas.   [44] Los gitanos son de bronce, como las palmas —de la palmera, no las palmadas— y las campanas.

(18) En el poema surge el sintagma *perito en lunas,* que da título al libro. No significa sino el deseo de Miguel de llegar a ser poeta, trans-

más que aquélla caliente que aquél ira,
y más, si menos, oro, duradera.
Una imposible y otra alcanzadiza,   5
¿hacia cuál de las dos haré carrera?
Oh tú, perito en lunas; que yo sepa
qué luna es de mejor sabor y cepa.

9

GUERRA DE ESTÍO [19]

¡Oh combate imposible de la pita
con la que en torno mío luz avanza!
Su bayoneta, aunque incurriendo en lanza,
en vano con sus filos se concita;
como la de elipsoides ya crinita,   5
geométrica chumbera, nada alcanza:
lista la luz me toma sobre el huerto,
y a cañonazos de cigarras muerto.

cendiendo así sus propias raíces sociales y culturales. De ahí que en algunos momentos se autodenominara «lunicultor», expresión que ha sido repetida por la crítica para calificar al joven que entonces manifestaba ardientemente su vocación de poeta.

(19) Resulta, cuando menos, curioso que Miguel construya tan temprano un poema de tintes bélicos, como se puede observar en la terminología y las imágenes utilizadas. La influencia de Miró es patente.

CICLO DE *PERITO EN LUNAS*

1

PLENITUD

Hay la luz debida: [45] nada menos.
Es una luna neta ya, sin tasa.
Bajo su luz los lilios [46] son morenos
niños con el faldón fuera de casa.
Con desmesura te heñiré [47] los senos,   5
luna, tus senos, sí, cristal en masa;
tus cristales tan dulces, ya imperiales,
antes que te devoren tus cristales.

2

NIÑA AL FINAL [20]

Ella:
Sonrisas no

---

[45] Aunque la expresión recuerde un título de Salinas, *La voz a ti debida*, és-te es de 1933, medio año posterior a *Perito en lunas*.   [46] La huella clásica se evidencia en estos poéticos *lilios* (lirios).   [47] *heñiré:* sobaré.

[20] Los senos femeninos son una auténtica obsesión del poeta.

aprendidas
chocan en
mi granada.   5
Me las hallo
en el agua redonda
de mi pozo.

Me empino para ser
mujer, pero   10
no llego.

Ya me subo
medias y ligas,
ya me bajo la falda
a la misma cintura   15
de la rodilla.

No sé por qué me busco,
con este afán de niño hambriento,
los senos con los dedos.

Los senos,   20
que exigen terreno
al percal
y al viento.

Yo les he cobrado miedo
a los chivos   25
y a los ojos
de aquel muchacho
de moreneces y alargamientos
de higos secos...
Pero los sigo   30
sin saber por qué yo...

Yo:
Tú desafías a los limones
y a los corazones.

3

CULEBRA [21]

Aunque
se horroricen
los gitanos,
lógica consecuencia
de la vid,   5
malabarista
del silbo, [48]
angosta
como él mismo;
culebra, canta,   10
y dame la manzana.

Contra
tu abatida
posición
sublévate.   15
Esgrime
tu crespada
espada,
sobre verde.

---

[48] Véase nota 35 de esta antología.

(21) Con el tema de la pérdida de la inocencia al fondo, siguiendo pasajes del *Génesis,* el poema incluye también elementos supersticiosos.

Eleva   20
tu cohete
permanente
a dogal [49]
en mi garganta.
Y dame la manzana.   25

Consejera
fatal
por dicha
mía,
de mi madre,   30
toda pies:
pon pulseras
consecutivas
a mis brazos,
aunque   35
se horroricen
los gitanos.
Y dame la manzana.

4

NARANJO

Eres tú el árbol
de las manzanas
de metal pálido
del jardín de las Hespérides. [50]

---

[49] *dogal:* cuerda que se ata al cuello de quien van a ahorcar. [50] Las Hespérides, hijas de Atlas y Héspero, vivían en un jardín donde se producían manzanas de oro. El jardín era guardado por un dragón que fue vencido por Hércules, el cual consiguió así las riquezas que allí se conservaban. Como la península Ibérica fue conocida como Hesperia, el poeta aprovecha la coinci-

Eres tú el árbol 5
de los cien ojos:
vegetal argos, [51]
pavón real.
Eres tú el árbol
de la nieve caliente 10
y la arena glacial
cómo yela la nieve caliente,
y cómo quema la glacial arena.
Eres tú el árbol
oro y redondo: del Mediodía 15
el molde exacto
del Mediodía.

5

ROSA-entre páginas

Si ruborizó [52] renglones,
huella en pompa a toda vela, [53]
siguió sus indicaciones
el curso de la novela:
o brújula en flor, o estela. 5
Y en el capítulo aquel,
hoy, mejor, siendo el papel
plancha de dos pisos cultos,

---

dencia para su metáfora: el naranjo produce las manzanas de oro.   [51] *Argo* o
Argos era descendiente de Zeus. Según algunas leyendas, tenía uno o cuatro
ojos —dos mirando hacia delante, y los otros, hacia atrás—. Otra leyenda lo
supone dotado de infinidad de ojos repartidos por todo el cuerpo. Estos ojos
son aquí las naranjas —manzanas de oro—.   [52] La rosa, oprimida por las hojas del libro, las ha manchado de rojo: *ruborizó*.   [53] Clara alusión a la «Canción del pirata», de Espronceda.

pegada como un cartel,
olores espira, bultos.   10

6

HIGO-desconocido

Por su desconocimiento
de nadie, nadie lo toma;
nadie lo desea exento
de su viso y de su aroma.
Con la madurez, asoma   5
el faldón por la sotana. [54]
Y sólo la avispa hircana, [55]
menoscabando etiopía,
demuestra la anatomía
de su luto arrope y grana   10

7

NARANJA

Doncello [56] el cuchillo, inicia
tu desnudez en mi mano:
ámbito de tu delicia, [57]
tu vestido meridiano.
Cuando a mi dentro escribano,   5

---

[54] El higo negrillo se abre, dejando ver su interior.   [55] La avispa, a la que
se supone natural de Hircania, lugar de la Persia antigua cuyos habitantes
eran famosos por su rudeza, es la única que se atreve a penetrar en el higo y
aprovecharse de él.   [56] *Doncello:* doncel, masculino.   [57] Pudiera haber aquí un
recuerdo de «Cima de la delicia», de Jorge Guillén.

ves sin ejemplar rebozo:
novilunio [58] cada trozo
de tu unidad fraccionaria,
queda en el suelo; canaria
sierpe, [59] la piel de mi gozo.   10

8

LIMÓN

Amarilla emulación
de la lágrima y gigante:
limón, limón y limón, [60]
mar en poco, [61] luz en cuánta.
La fiebre de la garganta   5
de mi mitad, va, camella, [62]
hacia la picuda bella:
isla canaria madura
de llanto y arquitectura,
buscando su patria en ella.   10

---

[58] *novilunio:* un gajo de la naranja.   [59] *canaria sierpe:* la piel retorcida de la naranja.   [60] La repetición triple, como ocurre en este caso, suele ser propia de la poesía popular y de la poesía infantil.   [61] *mar en poco:* por la acidez del limón.   [62] *camella:* buscando en el limón aprovisionamiento de líquido, como el camello hace de agua antes de una travesía.

9

ELEGÍA-al guardameta [22]

> *A Lolo,* [63] *sampedro* [64] *joven en la*
> *portería del cielo de Orihuela.*

Tu grillo, por tus labios promotores,
de plata [65] compostura,
árbitro, domador de jugadores,
director de bravura,
¿no silbará la muerte por ventura?   5

En el alpiste verde [66] de sosiego,
de tiza galonado, [67]
para siempre quedó fuera del juego
sampedro, el apostado
en su puerta de cáñamo añudado.   10

Goles para enredar en sí, derrotas,
¿no la mundial moscarda?
que zumba por la punta de las botas,
ante su red aguarda
la portería aún, araña parda. [68]   15

---

[63] *Lolo:* Manuel Soler Muñoz, portero del equipo «La Repartidora». No había muerto cuando M. Hernández compuso el poema en su honor. Sobrevivió al poeta.   [64] *sampedro:* porque, como el discípulo de Jesús tiene las llaves de la portería del cielo, Lolo tiene las de la portería de su equipo.   [65] *grillo de plata:* silbato del árbitro.   [66] El césped.   [67] *de tiza galonado:* las rayas de yeso que demarcan el campo de fútbol.   [68] *araña parda:* la red de la portería.

(22) Es muy posible que Miguel encontrara una fuente de inspiración para este poema en la oda titulada «Platko» que, dedicada al célebre portero húngaro, Alberti incluyó en *Cal y canto*.

Entre las trabas que tendió la meta
de una esquina a otra esquina
por su sexo [69] el balón, a su bragueta
asomado, se arruina,
su redondez airosamente orina.   20

Delación de las faltas, mensajeras
de colores, plurales,
amparador del aire en vivos cueros,
en tu campo, imparciales
agitaron de *córner* las señales.   25

Ante tu puerta se formó un tumulto
de breves pantalones
donde bailan los príapos [70] su bulto
sin otros eslabones
que los de sus esclavas relaciones.   30

Combinada la brisa en su envoltura
bien, y mejor chutada,
la esfera terrenal de su figura
¡cómo! fue interceptada
por lo pez y fugaz de tu estirada.   35

Te sorprendió el fotógrafo el momento
más bello de tu historia
deportiva, tumbándote en el viento
para evitar victoria,
y un ventalle de palmas te aireó gloria.   40

Y te quedaste en la fotografía,
a un metro del alpiste,

---

[69] *sexo:* la válvula por donde entra y sale el aire del balón.   [70] *Príapo:* hijo de
Dionisos y Afrodita. Guardaba las viñas y los jardines, y se representaba con
un gran falo.

con tu vida mejor en vilo, en vía
ya de tu muerte triste,
sin coger el balón que ya cogiste.   45

Fue un *plongeon* [71] mortal. Con ¡cuánto! tino
y efecto tu cabeza
dio al poste. Como un sexo femenino, [72]
abrió la ligereza
del golpe una granada de tristeza.   50

Aplaudieron tu fin por tu jugada.
Tu gorra, sin visera,
de tu manida testa fue lanzada,
como oreja tercera,
al área que a tus pasos fue frontera.   55

Te arrancaron, cogido por la punta
el cabello del guante,
si inofensiva garra, ya difunta,
zarpa que a lo elegante
corroboraba tu actitud rampante.   60

¡Ay fiera! en tu jaulón medio de lino, [73]
se eliminó tu vida.
Nunca más, eficaz como un camino,
harás una salida
interrumpiendo el baile apolonida. [74]   65

Inflamado en amor por los balones,
sin mano que lo imante,

---

[71] *plongeon:* salto horizontal.   [72] La herida en la cabeza tiene aspecto de sexo femenino.   [73] *jaulón de medio lino:* la portería.   [74] *el baile apolonida:* puede referirse a Apolonio de Tiro, maestro de Luciana —recuérdese el *Libro de
Apolonio*— en cuestiones musicales. Metafóricamente podría referirse a regates
de un contrario en las proximidades de la meta defendida por *Lolo*.

no implicarás su viento a tus riñones,
como un seno ambulante
escapado a los senos de tu amante. 70

Ya no pones obstáculos de mano
al ímpetu, a la bota
en los que el gol avanza. Pide en vano,
tu equipo en la derrota,
tus bien brincados saques de pelota. 75

A los *penaltys* que tan bien parabas
acechando tu acierto,
nadie más que la red le pone trabas,
porque nadie ha cubierto
el sitio, vivo, que has dejado, muerto. 80

El marcador, al número al contrario,
le acumula en la frente
su sangre negra. Y ve el extraordinario,
el sampedro suplente,
vacío que dejó tu estilo ausente. 85

10

HUERTO-mío [23]

Del monte en la ladera...
FRAY LUIS.

Paraíso local, creación [75] postrera,
si breve de mi casa;

---

[75] El poeta convierte el hiato *ea* en diptongo, por necesidades métricas.

(23) Todo el poema gira en torno a la novena lira de la «Oda a

sitiado abril, tapiada primavera,
donde mi vida pasa
calmándole la sed cuando le abrasa.   5

Yo, dios y adán, [76] que lo cultivo y riego,
por mi mano y conducto,
de frescor artesiano, [77] su sosiego
recojo, su producto,
sus dádivas de miel en usufructo.   10

De su interior de hojas, por sorpresa,
bienlogré esta mañana
el chorro de la luz primera y tiesa
de la cigarra hispana, [78]
y una breva a lo bolsa, luto y grana.   15

Adán por afición, aunque sin eva,
hojeo aquí mis horas,
viendo al verde limón cómo releva
de amarillo sus proras, [79]
y al higo verde hacer obras medoras. [80]   20

Aquí los venenosos perejiles [81]
extreman sus caireles,

---

[76] *Dios y Adán:* porque lo ha creado y se mueve dentro de él.   [77] Se trata
de un pozo artesiano.   [78] Recuérdese que denominó a la avispa *hircana.* La
abeja es ahora *hispana,* no tanto por necesidades de rima cuanto por cuestiones de localización.   [79] *proras:* proas.   [80] *medoras:* curativas, ya que Angélica
curó de sus heridas a Medoro en *Orlando furioso.*   [81] La cicuta menor, umbe-
lífera venenosa muy extendida en campos y jardines, es muy parecida al pe-
rejil, lo que ha sido causa de numerosos accidentes, aunque se distingue por
su mal olor.

la vida retirada» de Fray Luis de León, cuyo primer verso encabeza
la composición.

parejos al azul de los astiles
de los altos claveles,
espigas injertadas en pinceles.   25

Mi carne, contra el tronco, se apodera,
en la siesta del día
de la vida, del peso de la higuera,
¡tanto!, que se diría,
al divorciarlas, que es de carne mía.   30

Propósitos de cánticos y aves
celan las frondas, nidos.
Entre las hojas brotan nubes, naves,[82]
espacios reducidos
que a ¡cuánto amor! elevan mis sentidos.   35

La hoja bien detallada por el cielo,
y el cielo por la hoja,
surten de gracia y paz el aire en celo,
que cuando se le antoja
arrecia ramas, luz de cielo afloja.   40

Para acallar el grito del deseo,
del sitio donde yerra,
el fruto chino, el árabe y guineo,[83]
da suicidado en tierra,
creciendo en paz y madurando en guerra.   45

Oigo cómo se azuzan los corrales
los cantos de sus gallos.
Geranios, por lo rojos, criminales,

---

[82] Juego de palabras de tipo paronomásico: *nubes, naves.*   [83] *el fruto chino, el árabe, el guineo:* el dátil.

demuestran en sus tallos
que son de aquellos émulos, vasallos.   50

El canario, en la tapia, gargantea
la isla de que procede:
en la púa que al trino, cirinea, [84]
ayuda le concede,
quiere callar limón, pero no puede.   55

Aquí le doy, para que cante fino,
corazón de lechuga
—¡qué ensalada! de alpiste, troncho y trino,
y mientras tanto arruga
la frente al fruto tanta luz verduga. [85]   60

11

INVIERNO-puro [(24)]

(Enero)

¡Con qué graciosidad va la esquiadora,
angélica y montés, por una nieve
surcada como tierra labrada!

---

[84] *cirinea:* natural de Cirene, en Asia Menor, lugar de donde procedía Simón, el que fue obligado a ayudar a Jesús cargando su cruz durante el trayecto hacia el Calvario.   [85] *verduga:* hiriente, sugiere M. López Hernández en su *Vocabulario de la obra poética de Miguel Hernández.*

(24) La blancura de la nieve invernal invita al poeta a la consideración de la pureza en su propia vida. Está, sin duda, aplicando los consejos religiosos a su propia existencia.

¡Con qué velocidad! ¿Cómo se atreve
a tanto un pie que, si no miente, pesa?   5
¿Es que la gravedad se ha vuelto leve?

Saltea, baja, sube y sube: cesa
de saltear, subir, bajar, y manda,
sobre la pechiabierta paz montesa,

su ímpetu, su cuerpo, su volanda,   10
a un vacío, a un sinfín, a un salto, a un viento
que le pone de punta la bufanda. [86]

Un exquisito verde ceniciento
y un delicado blanco casi oscuro [87]
componen los azules del momento.   15

¡Qué puro que no soy, ¡ay Dios!, qué puro
que ni fui ni seré, ¡ay!, ser quisiera,
y qué poco lo quiero y lo procuro!

Vendrá otra vez —¡que voy!— la Primavera
a darnos un pecado en una rosa,   20
y al cabo de su sol seré yo cera.

La alegría del frío dolorosa
se volverá tristeza... —¡qué alegría!
a formular mi pensamiento osa.

Este afán de pureza, esta osadía   25

---

[86] Magnífico ejemplo de gradación ascendente que muy bien pudo tomar como ejemplo también a Fray Luis en su «Profecía del Tajo», donde propone uno de los más emblemáticos casos de este tipo de figura.   [87] M. Hernández sigue ejercitando su pluma en figuras diversas. Aquí hace uso del oxímoron: *exquisito/ceniciento; blanco/oscuro.*

de querer levantarme, y esta gana,
se tornarán terrena cobardía.

Mi ilustre soledad de esquila y lana
da hoy, ha de hacer viciosas amistades
con el higo, la pruna y la manzana.   30

¡Adiós, secreto de mis soledades!
¡Adiós mi voluntad y continencia!
¡Adiós Miguel el de las tempestades

con tu carne, tu alma y tu conciencia!
Evitaré, Señor, tu azul persona,   35
que dolencia quitó quien puso ausencia.

12

PRIMERA LAMENTACIÓN-de la carne [25]

Copada por el sol la nieve novia, [88]
            caudal como estos ojos,
activa su ilustrísima victoria
            montés, torna su ocio.

El sol ya panifica soledades: 5
            su luz es ya membruda.

---

[88] *nieve novia:* juego paronomásico que tiene relación profunda, pues el blanco es el color de la nieve y de la novia.

(25) La llegada de la primavera supone la exaltación de los deseos carnales del poeta, que lucha por adaptarse a los preceptos religiosos aprendidos pero que, como Lope en sus *Rimas sacras,* ha de reconocerse pecador, pues la carne es débil.

Y yo me altero ya bajo mi carne,
    bajo su dictadura.

A punto de ser flor y no ser nada
    está tu flor, almendra;   10
en amor, concibiendo la enramada,
    la madre de la tierra.

No seas, Primavera: ¡no! te acerques,
    ¡quédate! en alma, almendro:
sed tan sólo un propósito de verdes,   15
    de ser verdes sin serlo.

¿Por qué? os marcháis, espirituales fríos,
    eneros virtuosos,
donde mis fuegos imposibilito
    y sereno mis ojos.   20

¡Conflicto! de mi cuerpo enamorado,
    ¡lepanto! de mi sangre...
Sólo puede haber paces y descansos
    donde no hay carne, ¡ay carne! [89]

Malaganas me ganan, con meneos   25
    y aumentos de pecados;
me corrijo intenciones y deseos
    en vano, en vano, en vano.

Discurre el pensamiento a todas horas
    lo que a ti se te ocurre.   30
Carne, llena de infamias amorosas;
    ¡déjame! que me escuche.

---

[89] *hay carne, ¡ay carne!:* el juego de palabras es ahora de homofonía.

Lo que quieren mis ojos y mis dedos,
   no es lo que me apetece.
Por no darte más carne, te doy juegos,   35
   me doy más vida, ¡oh Muerte!

¡Oh Muerte!, ¡oh inmortal almendro! cano:
   mondo, pero florido,
sálvame de mi cuerpo y sus pecados,
   mi tormento y mi alivio.   40

* * *

La desgracia del mundo, mi desgracia
   entre los dedos tengo,
¡oh carne de orinar! [90] activa y mala,
   que haciéndome estás bueno.

---

[90] El miembro viril.

POEMAS PUBLICADOS
EN *GALLO CRISIS* Y *SILBOS*

1

A MARÍA SANTÍSIMA

(EN EL MISTERIO DE LA ASUNCIÓN) [91]

¡Tú!, que eras ya subida soberana,   15
de subir acabaste. Ave sin pío
nacida para el vuelo y luz, ya río,
ya nube, ya palmera, ya campana. [92]

La pureza del lilio sintió frío;
y aquel preliminar de la mañana   20
aire ¡tan encelado! en tu ventana,
sin tu aliento ni olor quedó vacío.

¡Todo! te echa de menos: ¿qué azucena?
no ve su soledad sin tu compaña,
ve su comparación sin Ti en el huerto...   25

---

[91] El dogma de la Asunción de María fue proclamado por Pío XII el 1 de noviembre de 1950, pero la elevación de la madre de Jesús a los cielos era tenida por auténtica desde muchos siglos antes por los católicos.   [92] *río, nube, palmera, campana:* configuran la clara gradación ascendente que Miguel dibuja para simbolizar la asunción de María.

Quedó la nieve, sin candor, con pena,
mustiándole el perfil a la montaña;
subiste más, y viste el cielo abierto.

2

EL TRINO-por la vanidad [26]

Pájaros hay que el pío por el pío
dan, en el más recóndito verdor
de la rama: la merla, [93] el ruy-señor
y la zumaya: [94] enamorado trío.

¡Píos en soledad!... Bajo lo umbrío   5
reluce más, anónimo, el tenor,
que, si ve que le miran, el amor
de aquella devoción torna en desvío.

¡Qué primor!: ¡qué pudor, y qué exquisito,
el del pájaro simple y soberano   10
que ni pide ni sufre espectadores!

¡Ay, qué extremo del vuestro mi prurito,
desvelándose siempre por el vano
eco, merlas, zumayas, ruy-señores!

---

[93] *merla:* mirla.   [94] *zumaya:* autillo, ave parecida a la lechuza. También tiene cabida en la poesía de Federico García Lorca.

(26) Puede haber en el poema un eco de la famosa décima guilleniana «El ruiseñor», dedicada a don Luis de Góngora: «El ruiseñor, pavo real facilísimo del pío», del *Cántico* de 1928.

3

EL SILBO DEL DALE [(27)]

Dale al aspa, molino,
hasta nevar el trigo.

Dale a la piedra, agua,
hasta ponerla mansa.

Dale al molino, aire, 5
hasta lo inacabable.

Dale al aire, cabrero,
hasta que silbe tierno.

Dale al cabrero, monte,
hasta dejarle inmóvil. 10

Dale al monte, lucero,
hasta que se haga cielo.

Dale, Dios, a mi alma,
hasta perfeccionarla.

Dale que dale, dale 15
molino, piedra, aire,

cabrero, monte, astro;
dale que dale largo.

(27) Una de las primeras composiciones paralelísticas de M. Hernández, donde maneja los elementos populares a la perfección. Su sencillez no impide cierta profundidad en los asuntos abordados.

Dale que dale, Dios,

¡ay!   20

hasta la perfección.

4

EL SILBO DE LA LLAGA PERFECTA

Ábreme, amor, la puerta
de la llaga perfecta.

Abre, Amor mío, abre
la puerta de mi sangre.

Abre, para que salgan   5
todas las malas ansias.

Abre, para que huyan
las intenciones turbias.

Abre, para que sean
fuentes puras mis venas;   10

mis manos cardos mondos,
pozos quietos mis ojos.

Abre, que viene el aire
de tu palabra... ¡abre!

Abre, Amor, [95] que ya entra...   15
¡Ay!

Que no se salga... ¡Cierra!

---

[95] Recurre el poeta a la nomenclatura y a los ejes temáticos de la poesía mística.

5

EL SILBO DE LAS LIGADURAS [28]

¿Cuándo aceptarás, yegua,
el rigor de la rienda?

¿Cuándo, pájaro pinto,
a picotazo limpio

romperás tiranías   5
de jaulas y de ligas,

que te hacen imposibles
los vuelos más insignes

y el árbol más oculto
para el amor más puro?   10

¿Cuándo serás, cometa,
para función de estrella,

libre por fin del hilo
cruel de otro albedrío?

¿Cuándo dejarás, árbol,   15
de sostener, buey manso,

el yugo que te imponen
climas, raíces, hombres,

[28] Poema de tipo paralelístico donde se plantean diversas liberaciones, aunque los dos primeros versos planteen alguna duda.

para crecer atento
sólo al silbo del cielo?   20

¿Cuándo, pájaro, yegua,
cuándo, cuándo, cometa;

¡ay!, ¿cuándo, cuándo, árbol?
¡Ay! ¿Cuándo, cuándo, cuándo?

Cuando mi cuerpo vague   25
    ¡ay!
asunto ya del aire.

PRIMITIVO *SILBO VULNERADO*

6

NIEBLA-Dios y poema

¡Qué espesuras! de nada en abundancia:
y de su nada todo lo inficiona. [96]
Nada que es algo a fuerza de distancia
y ser más nada y nada aún ambiciona.

Tras este eclipse —nada— de ambulancia,   5
gris acontecimiento de gorgona, [97]
lo Verdadero, en la perseverancia,
su perfección perfecta perfecciona.

---

[96] *inficiona:* contagia.   [97] La Gorgona por excelencia era Medusa, la única
mortal de las tres hijas de dos divinidades marinas, Forcis y Ceto.

A veces, su Verdad se manifiesta,
o se elude. La Luz, siendo ya poma,   10
se expone como flor en la celada.

Más luciente en la nada oscura ésta
a la imaginación. Todo se asoma,
ciego que lo ve todo, al ojo nada.

7

NUBES-y arcángeles

Vuelos sin ruido, pájaros sin plumas,
de Dios a Dios, en Dios, de viento en viento,
los tronos perpetuando y las espumas,
vida dan a la gloria y movimiento.

Purgando plata, oscuridades sumas,   5
buscan su claridad, su detrimento.
Las legiones de bosques de las brumas,
lluviosas almas, pacen firmamento. [98]

Menos que nada: algo son ahora:
tránsito de migueles temporales, [99]   10
¡qué afición! por ser nada los inclina.

Desnuda ya la nada voladora
su luz, sus concepciones corporales,
ya espiritual, ya oculta, ya divina.

---

[98] Imagen típicamente gongorina.   [99] Juego en torno a su propio nombre, que reproduce el del arcángel que expulsó del Paraíso a Adán y Eva.

8

CHUMBERA-múltiple

Cadena de lunados eslabones:
con pelota real, tennis [100] de espina:
«dolorosa» de muchos corazones,
émula madurez plural de China.
Contra el viento, rotundas conjunciones,　　　　5
bofetadas en círculos coordina:
plenilunios de espejos de verdura,
donde se ve Albacete [101] en miniatura.

9

ODA-a la higuera

Abiertos, dulces sexos femeninos,
o negros, o verdales:
mínimas botas de morados vinos,
cerrados: genitales [102]
lo mismo que horas fúnebres e iguales.　　　　5

Rumores de almidón y de camisa: [103]
¡frenesí! de rumores

---

[100] Aunque Miguel Hernández no podía permitirse el lujo de jugar al tenis, como los jóvenes de la generación precedente, que disfrutaron esa posibilidad en las dependencias de la Residencia de Estudiantes, sabe utilizar metáforas en base a ese deporte de élite. Los frutos de la chumbera son, tras ese proceso metafórico, pelotas de tenis con espinas.　　[101] Las pencas de la chumbera son como corvas navajas de Albacete.　　[102] Los higos, cuando están abiertos, representan los sexos femeninos; y cuando están cerrados, los testículos.
[103] *rumores de almidón y de camisa:* el fru-frú de las hojas de la higuera.

en hoja verderol, falda precisa,
justa de alrededores
para cubrir adánicos rubores. [104]   10

Tinta imborrable, savia y sangre amarga;
malicia antecedente,
que la carne morena torna y larga
con su blancor caliente,
bajo la protección de la serpiente.   15

¡Oh meca! de lujurias y avisperos,
quid de las hinchazones.
¡Oh desembocadura! de los eros;
higuera de pasiones, [105]
crótalos pares y pecados nones.   20

Al higo, por él mismo vulnerado
con renglón de blancura,
y orines de jarabe sobre el lado
de su mirada oscura,
voy, pero sin pasar de mi cintura.   25

Blande y blandea el sol, ennegrecido,
el tumor inflamable.
El pájaro que siente aquí su nido,
su seno laborable,
se ahogará de deseo antes que hable.   30

Bajo la umbría bíblica me altero,
más tentado que el santo. [106]

---

[104] Se supone que Adán y Eva, tras comer del fruto prohibido, descubrieron su desnudez, que hubieron de cubrir con lo que tenían a mano: una hoja de parra o de higuera, como los representa la iconografía.   [105] La higuera es para M. Hernández símbolo masculino, representación de los deseos carnales.   [106] Alude a las tentaciones de San Antonio, en similar soledad campesina a la del poeta.

Soy tronco de mí mismo, mas no quiero,
ejemplar de amaranto, [107]
lleno de humor, pero de amor no tanto.   35

Aquí, sur fragoroso tiene el viento
la corriente encendida;
la cigarra su justo monumento,
la avispa su manida.
¡Aquí vuelve a empezar!, eva, la vida.   40

10

DIARIO DE JUNIO-interrumpido

Día uno. Cae un agua sobre el huerto
justa como un anillo.
Aún predicaron cuernos
caracoles [108] en púlpitos de lirios.

Día dos. Húmedos, alzan los claveles   5
su pompa genuflexa
pesando olor: los hueles
por ponerte bigotes de belleza.

Merman azul del todo, en averío,
canos de cuando en cuando.   10
Rosa mayor de edad, has acudido
a vigilar tus bandos.

Día tres. Dan en el huerto, para nadie,
sin ti dentro, las horas.

---

[107] *amaranto:* planta de flores carmesíes. Ha de referirse al glande erecto.
[108] Puede hacer referencia a la cancioncilla de tipo popular «caracol, col, col, saca los cuernos al sol».

Sola en el árbol puesta, sabe el ave [109]   15
lo grata que es la sombra.

Día cuatro. Entre el romero a lo celeste
con la flor enmelada,
oyes caer madureces
por exceso de punto suicidadas.   20

Junio. Me duele el sexo como un diente...
Busco, de trecho en trecho,
por deshonrar tu nieve,
la regalada llaga de tu sexo.

Tu seno, si jornal de mis amores,   25
socio es de mi cariño,
esclavo de su remo galeote
nutrido de vacío.

Las eras van en torno de los trillos,
las parvas de las eras: 30
¡todo!, norias, anillos, plazas, ríos,
dan vueltas a las vueltas.

Anuncian los festejos las paredes
con mil gallos jarifos. [110]
Asocia el amor plumas brevemente,   35
el fruto, el baño niños.

Día quince. Estás en tierra, sublevada
contra las verticales,
y el limonero en pleno que te ampara,
volúmenes te añade.   40

---

[109] *sabe el ave:* rima en eco.   [110] *jarifos:* rozagantes, bien compuestos.

Bajo la higuera, [111] donde la lujuria
tiene sus potestades,
cotejo, sin andar yendo en tu busca,
higos con genitales.

Pasa la siesta resumiendo chinas   45
sobre la flor del chumbo,
que amenazan violar dentadas pitas
con ademán seguro.

Chorrean las navajas, se dilatan
las lenguas de los perros: 50
—cachicuerna y sangrienta, está olvidada
su funda en el pimiento.

Se nutren los chiqueros [112] de bravura,
los toreros de macho,
si las plazas de círculos y curvas,   55
si los cuernos de espacio.

Día veintidós. Solsticio. Vas buscando,
sin hallar, las cigarras,
presentidas por todo entre los pámpanos
de verdura enviudada.   60

Diciendo a los deseos: ¡ea!, ¡ea!,
repica todo seno.

---

[111] La higuera, queda dicho notas atrás, simboliza en Hernández la lujuria
solitaria. Algunos historiadores bíblicos observan esta simbología en la historia
de Natanael, uno de los primeros discípulos de Jesús. En el evangelio de San
Juan (1, 48), Jesús parece adivinar lo que él estaba haciendo cuando le dice:
«Antes de que Felipe te llamara, cuando estabas debajo de la higuera, te vi»,
revelación ésta que dejó a Natanael verdaderamente asombrado.   [112] *chiquero:*
toril, lugar donde descansan los toros.

Los rostros manifiestan
la expresión de morir que deja el beso.

Día veinticuatro. Está la sombra borde   65
rampante de oro en uñas.
Anda la más caliente y breve noche
sanjuán [113] pintando uvas.

Artificiales esplendores turban
en redentoras cañas,   70
el de la estrella, caminando en busca
del trueno que los mata.

El trébol de tres hojas los pastores
cogen por la ladera,
remitiendo honda y piedra a lana y monte   75
y amor a galatea. [114]

La madrastra del hijo, breva y dulce,
su luto condecora
con la interior blancura que la cubre,
por tanto arrope rota.   80

Día treinta. Requerida por los mares,
¿por cuántas, cuántas arduas tornalunas?
abandonas al huerto, a mí, vernales, [115]
reintegrándote venus a la espuma.

---

[113] Noche de las hogueras de San Juan.   [114] *Galatea:* hija de Nereo y una divinidad marina, amada por Polifemo. Una deuda, sin duda, de Góngora. [115] *vernal:* perteneciente al solsticio.

11

RUY-SEÑOR Y MIRLO-cantores a un tiempo

Atribulados a dúo:
los dos en primeros planos.
Según mi atención sitúo,
así cantan de lejanos.
Todo depende de mí: 5
oírlos allá o aquí,
y hacer que enmudezca uno.
Y si mi audición dedico,
a un compás, a pico y pico,
me enamoran de consuno. [116]   10

12

CÁNTICO-corporal [(29)]

(Yo, en busca de mi alma)

Vivo yo, pero yo no vivo entero.
De mis ojos ausente,

---

[116] *de consuno:* a un tiempo, a la vez.

(29) No es uno de los mejores poemas de esta época, precisamente. Si tiene cabida en esta antología es precisamente por eso. Para no dar una falsa imagen del joven poeta que, de otra manera, parecería poco menos que perfecto desde el primer momento, cosa que distaba mucho de ser. Nótese la pobre rima del último verso de la primera estrofa, así como la aparición de *alpistes* en el verso 30 por necesidades de rima. Adviértanse, asimismo, las pobres dependencias de la poesía mística «muero porque no muero», etc. Curiosa resulta la expresión «amor en paro», del verso 37, que utiliza en alguna otra ocasión.

careciendo de ti, vivo que muero,
canario adoleciente,
canto y estoy más pálido que un diente.   5

Te veo en todo lado y no te encuentro,
y no me encuentro en nada;
te llevo dentro, y no, me llevo dentro,
¡ay! vida mutilada,
yo, en mi mitad, ¡oh Bienenamorada!   10

Mi amor, a quien agrega fortaleza
la soledad del huerto,
seco de sed por ti, sufre y bosteza,
y sigue en su desierto
por no caer de tentaciones muerto.   15

Soy llama con ardor de ser ceniza.
Sola abundantemente,
esta porción de ti, la tiraniza
—¡oh qué guerra frecuente!—
mi pupila, tormento de mi frente.   20

Le falta la merced de tu asistencia
a mi amor exprofeso.
Tengo en estos rosales la presencia
y esencia de tu beso,
en tanto grado puro, en ¡tanto! ileso.   25

Codicioso de ti, me estoy robando,
me aplico poco al suelo;
me dedico a los dos de cuando en cuando,
a tu imagen apelo
siempre, siempre presente y siempre en celo.   30

Yo ya no soy: yo soy mi anatomía.
¿Por qué? de mí desistes,

peligro de mis venas, alma mía...
¡Ay!, la flor de los tristes
va a dieta de amor como de alpistes.   35

Desamparado el cuerpo, en desaseo,
sobre el amor en paro,
soy mi verdugo y juez, y más mi reo,
mi tempestad y faro;
tú, mi ejemplar virtud, mi vicio caro.   40

Me levanto de mí cuando me acuesto
gimiendo mis heridas,
infeccionado todo de tu gesto,
de tus gratas manidas,
gracias comunicables y queridas.   45

¿Y tu boca?, reparo de la mía,
¡ay! bello mal que cura;
¡ay! alta nata de mi pastoría,
¡ay! majada segura
y oveja de mi boca, si pastura.   50

Esparcida por todos los lugares,
en ellos te deseo.
Sigo tus huellas, flores de azahares,
te silbo y te zureo,
y con todas las cosas me peleo.   55

Patria de mis suspiros y mi empeño,
celeste femenina;
vuelve la hermosa página del ceño
que cielos contamina.
Yo para ti, si tú, para mi ruina.   60

13

MAR Y DIOS [30]

Elevando tus nadas hasta el bulto,
creando y descubriendo vas presencias,
y llevas las presentes a lo oculto.

Inexistencias paren existencias,
se cela en lo secreto lo patente,   5
nacen, mueren, sigilos, evidencias.

La alusión se produce referente
a la Verdad, tan verde en su blancura,
espuma, vanidad de la corriente.

En el mundo depones tu amargura   10
impalpable, y el sol la consolida
en situación palpable de figura.

La dispersión, al cabo recogida,
la leve nada demasiado grave,
reposo cano la azulada huida.   15

Ni principio ni fin te halla la nave,
cuna de luz y luz de tu elemento,
¡mi Mar! apasionado, ¡mi Mar! suave.

De ti a ti trasladando vas tu acento,
y tú, tu resultado y tu problema,   20
eres tu concepción y nacimiento.

---

(30) Otro poema donde plasma sus conocimientos religiosos sin alcanzar grandes cotas plásticas, a pesar de que toma como referente el mar.

Algo de pronto, idea de Algo, esquema
de la nada, después nada salada,
la espuma luce rápida y suprema.

La onda, por la onda estimulada,   25
obstáculos de mucho y de coraje
pone: enseguida, obstáculos de nada.

A un tiempo eres tu espera y tu viaje,
tu ida y tu retorno de antemano,
la acción y la inacción del oleaje.   30

Vienes de ti por ti; vas, Océano,
a ti, tu porvenir, por tu presente,
vacío lleno, abismo curvo y llano.

Eres oscuro a fuer de transparente,
Principio y Fin de todo lo creado,   35
si menguante una vez, ciento creciente.

A la barca ambiciosa de tu estado,
por un ruego de nudos, le concedes
un rico mandamiento de pescado.

¡Oh Criadora Deidad!, con tus mercedes,   40
en la noche más alta y más oscura,
iluminas el alma de las redes.

Las vas dejando encinta de hermosura,
Tú, el sin celar, celado por perfecto,
Vigilia y Soledad sonora y pura.   45

Es la perla tu más bello defecto:
arma el Oriente la admirable ruina,
de corazón más rica que de aspecto.

Terrestre haces tu gracia submarina,
bolsillo de celestes semilleros,   50
regalo de la playa y la salina.

¡Qué tránsito! constante de aguaceros,
¡qué soberbia! humildad en ejercicio
y ¡qué gloria! de arcángeles veleros.

Tu belleza sin bridas es el vicio   55
de tu virtud: Eternidad completa,
tu innumerable y celestial oficio.

Tu serena visión a tu secreta
tempestad obedece, y tu furiosa,
tus serenos mandatos interpreta.   60

Luchando en paz, en guerra no reposa
tu Paz, siempre temida y deseada,
más rica cuanto más tempestuosa.

* * *

¡Hacia tu Claridad! llevo encelada
mi voluntad: ¡qué al vivo mi criatura!   65
¡con qué ganas! de verse en tu Morada.

¡Oh Dios! ¡Qué sed! de tu temperatura,
de tu comunicable fortaleza
y volandas de amor a la ventura.

Quiero la multitud de tu Grandeza;   70
dimitir de mi ser, yendo en tu seno,
tabla de salvación de mi flaqueza,

por fin, ángel marino, pez terreno.

14

CUERPO-y alma

¿Un vergel? para el cuerpo,
¿un campo? para el alma.

¿Un rosal o un espino?

¿Espirituales tierras?
¿Corporales cultivos?   5

Desnudez: ¡qué verdad!
Adorno: ¡qué ficticio!

¿Un vergel sin hartura?
con bastantes racimos.

¡Un campo con un agua!   10
sin ningún apetito.

A pesar de su aspecto,
la azucena es un vicio.
La naranja un pecado. [117]

¡Oh virtud del olivo! [118]   15
¡Oh alma en pie del almendro! [119]
¡Oh grandeza del trigo! [120]

---

[117] La azucena es un vicio por cuanto representa un exceso de belleza entre la verde sencillez del campo. La naranja, porque su vivo colorido la destaca también como algo suntuoso sobre el verde oscuro de las hojas del naranjo.   [118] El olivo simboliza la paz, la fecundidad, la purificación. Concluido el diluvio, la paloma llevó a Noé un ramito de olivo.   [119] Por la blancura rosada de sus flores.
[120] Porque se convertirá en el cuerpo de Cristo tras la consagración.

Los ruidos de la carne
ahogan los dulces trinos.
Las rosas aficionan   20
al desabrido sitio.

El cuerpo dice: ¡dame!
El alma: ¡acepta, hijo!

El ruy-señor evita
pecados y suicidios.   25
El fruto los fomenta.

¡Aviso sobre aviso!

¿Alteración? ¡Quietud!
amartela mi espíritu...

Con sus nubes veniales,   30
un cielo campesino,
sin árbol malicioso
ni montes sensitivos.

Ni un libro ni una cosa.

Un río, sólo un río,   35
¡tan puro!, que ni manchen
las espumas: divino
por infición de altos
sin mancha concebidos. [121]

El olivo, tan hombre.   40

---

[121] Otra alusión cristiana: el río es puro, tanto como la Virgen, concebida sin mancha de pecado original. Tampoco el dogma de la Purísima Concepción había sido promulgado todavía cuando Miguel escribió el poema.

Un aire masculino
con tórtolas del género
del vulnerado silbo.

No el caos de la carne.
El orden del espíritu.   45

Otros otros que vayan,
guiado su albedrío
por el de la vereda,
que yo vengo rendido,
sin polvo que me guíe,   50
guiado por mí mismo.

Sin arrimo de nadie,
con mi fe, con mi arrimo;
regraciado con Dios,
con el mundo remiso.   55

¿Libertades de campos?
¿Celdas de paraísos?

Me despojo del cuerpo...

Me venzo, mi enemigo.

POEMAS AMOROSOS

15

PRIMAVERA CELOSA

A mi Josefina querida.

MIGUEL.

Me cogiste el corazón,
y hoy precipitas su vuelo
con un abril de pasión
y con un mayo de celo.

Vehementes frentes tremendas   5
de toros de amor vehemente
a volcanes me encomiendas
y me arrojas a torrentes. [122]

Del abril al mayo voy
más celoso que moreno   10
y más que celoso estoy
en mi corazón ameno.

Como de un fácil vergel,
se apropian de ti y de mí
la vehemencia del clavel   15
y el vellón del alhelí.

Hay gallos de altanería
alardeando en mis venas

---

[122] El enamorado siente crecer su pasión —volcanes— pero ha de apagarla sin poder cumplir los deseos de su carne —torrentes.

y en la frondosa alma mía
mejoranas y azucenas.   20

Sin sospechar sus gusanos
llega tu carne a sus plenos,
y se me encrespan las manos
y se te encrespan los senos.

Me desazona la planta   25
un ansia de enredadera
y de tu cuerpo y de tanta
rosa rosal ser quisiera.

Dando fruto a las abejas,
entre labios y racimos,   30
muy cerca de tus orejas
y de las mías vivimos.

Si a higuera tu beso huele,
suena y sabe a ruiseñor,
y abril con amor me duele   35
y mayo con flor y amor.

Beso y quiero, quiero y muero: [123]
si nos parte en dos la ausencia,
pues con vehemencia te quiero,
me moriré con vehemencia.   40

---

[123] La presencia y la ausencia sucesivas de la amada originan esa situación
de desasosiego íntimo que se vierte en los juegos de palabras.

SONETOS PERTENECIENTES AL CICLO DE *EL SILBO VULNERADO*

1

VIDA-invariable [31]

Con mil cabezas [124] voy de mansedumbre,
dócil, más que a la honda, a la presencia,
por la picuda y alta transparencia
del aire, de la nieve y de la cumbre.

Avalora la luz. Qué muchedumbre   5
de sosiego, de paz y de inocencia
donde el amor me alivia esta dolencia
que da la soledad de la costumbre.

¡Ay, mi vida montesa no varía!
De rudas cosas trato con la honda   10
y con la voluntad de cosas suaves.

---

[124] No es, por supuesto, sino una hipérbole, ya que el rebaño que él solía guiar al campo contaba alrededor de 80 ó 90 cabezas.

(31) Miguel Hernández se lamenta de su situación, ya que lleva una doble vida: pastor de día, poeta de noche, algo difícilmente conciliable.

Trato en la noche amor, lana en el día,
y con lana y amor, la sierra monda,
y con la sierra monda, hierbas y aves.

2

SEÑALES-de vida [32]

Estas llagas que llevo boquiabiertas
en mis pies y mis manos son de frío
que me ataca la piel al escampío [125]
y abre a mi sangre dolorosas puertas.

A estos ojos inmóviles y alertas   5
la soledad les dio su señorío
y este ceño pacífico y umbrío
es de mirar las nubes y las huertas.

Esta altura la cumbre me la ha dado,
esta pureza el aire de la aurora,   10
este color la luz de los enceros, [126]

esta pobreza, Dios, y este cayado.
Y esta manera dulce una pastora
que ilumina el perfil de mis oteros.

---

[125] *escampío:* descampado.   [126] *enceros:* luceros.

(32) La queja es menos evidente en este poema, donde parece
agradecer a Dios algunas características de su aspecto y su vida interior, conseguidas por la vida al aire libre. Quizás porque advierte en
este caso que gracias a su personalidad tiene el amor de Josefina.

3

OFICIO-adánico

Vigilar la blancura: ése es mi oficio,
apoyando en mi amor el pensamiento,
mientras me orea la mejilla el viento,
dorada y no por maña de artificio.

Tener la soledad por ejercicio   5
y el silencio por sabio y por contento;
por compaña la nieve y por asiento
una altura que cerca un precipicio.

Así vivo, y entrante, todo el año,
a la mira unas veces de lo puro   10
y al servicio otras veces de mi bella.

Correhuelas [127] pastura mi rebaño,
si hierba de la sangre yo pasturo,
con su boca en la mía, pasto de ella.

4

RENCOR-milenario

Un odio eterno cunde por los secos
cardos, las zarzas bíblicas [128] y mondas,

---

[127] *correhuela:* planta convolvulácea silvestre que crece rastrera y trepa si encuentra dónde agarrarse, con flores en forma de campanilla.   [128] La zarza que
ardía sin consumirse y llamó la atención de Moisés: «El ángel de Yahvé se le
apareció en forma de llama de fuego, en medio de una zarza. Vio que la zarza estaba ardiendo, pero que la zarza no se consumía», *Génesis*, 3, 2.

las alturas agudas y redondas,
y los inexorables recovecos.

Un insigne rencor late en los huecos   5
de las cavernas líricas [129] y blondas
y el silbo vulnerado de las hondas [130]
que multiplican rápidos los ecos.

Mudo el pastor acecha al lobo mudo,
dispuesta torvamente la mirada   10
en la arriesgada altura que los ciñe.

Resentimiento virgen y picudo,
que les pone la piel disparatada
y los enzarza a veces y los tiñe.

5

DOLENCIAS-altísimas

¡Qué penas tan ilustres son las penas
que se padecen en la serranía!:
¡Qué luminosas penas en la fría
culminación de piedra, y qué serenas!

Desatan los suspiros sus melenas   5
celestemente en la garganta umbría,
y la tristeza y la melancolía
¡qué elevadas resultan y qué apenas!

---

[129] Alude, probablemente, a la caverna donde vivía Polifemo, que, como él, se dedicaba al pastoreo.   [130] El silbido que produce la honda del pastor al agitarse en el aire antes de lanzar la piedra. *El silbo vulnerado* es un conjunto de textos que escribió en 1934.

Alto duele el dolor, [131] pero ¡qué alto!
suelto sufre el amor, pero ¡qué suelto!   10
pero ¡qué dilatado y qué tranquilo!

De mí sobrante, amor, y de ti falto,
peno y suspiro azul, [132] solo y esbelto,
hasta que en tu sonrisa me destilo.

6

No media más distancia que un otero
entre la ausencia mía y tu presencia [133]
y sin embargo, amor, está mi ausencia
pendiente de tu puerta de romero.

Como muere, doliéndose, el cordero   5
destetado y sin madre ni asistencia,
así, de esta dulcísima dolencia,
de no verte estoy viendo que me muero.

Inútil es mi oreja sin tus voces,
inútiles mis ojos y mi pelo   10
hasta que tu amistad los coge y toca.

Mi mejilla se mustia sin tus roces,
mi paz de guerra está, mi amor de duelo...
¡A tanto obliga un beso de tu boca!

---

[131] Hernández podía conocer «Era mi dolor tan alto» de Manuel Altola-guirre, que éste había publicado como número 13 en *Poesía*, II, 3, de 1930. [132] *suspiro azul:* espléndida sinestesia.   [133] De nuevo el poeta recurre al viejo y manido tópico de la presencia y ausencia de la amada.

7

OREJAS-inútiles

Dos pájaros me están enamorando,
por la audición, el alma con el pío:
uno en la juncia blanda, junto al río,
y otro en la rama, lejos de lo blando.

Hacia los dos mis devociones mando: 5
ni a uno me vuelvo ni a otro me desvío:
y entre los dos se encuentra mi albedrío
por los dos fervoroso suspirando.

¡Ay, qué solicitud! silban a dúo,
éste en la zurda; aquél en la derecha   10
sobre una paz festiva de domingo. [134]

Y yo a ninguno de ambos exceptúo
de mi atención que, duplicada, acecha
y el pájaro mejor, ¡ay!, no distingo.

8

MANOS-culpables

Palmas ¡qué poco ilustres y graciosas
y qué mucho podencas y sensuales!

---

[134] Aunque pudiera parecer que el término *domingo* entra en el soneto por necesidades de rima, lo cierto es que el poeta solía subir al monte de detrás de
su casa, los domingos, para escribir, tal como se advirtió en la Introducción.

Sin aires ni aficiones celestiales
ni en la garganta támaras [135] sabrosas.

Entrometiendo ardor entre las cosas   5
y mi sensualidad, las manuales
enredaderas van por los rosales
la malicia inquiriendo de las rosas.

Ay, por vosotras, seno es el racimo
y ¡ay! por vosotras sexo boquiabierto   10
la sonrisa informal de la granada.

No me llevéis, sonámbulo, al arrimo
de los dulces pecados de mi huerto
y su mollar [136] materia gusanada.

9

HORTELANO-doliente

Enero, ya la tierra está en amores,
con un color de madre en la mejilla,
ya siento circular bajo su arcilla
la purísima sangre de las flores.

Ya advierto por los vástagos rumores   5
de savia en curso; y sale por la orilla
del río un aire, que enmudece y brilla
como poblado ya de ruy-señores.

---

[135] *támaras:* racimos de dátiles.   [136] *mollar:* blanda.

Ay, qué sabor a abril y mayo siento,
mientras apoyo en cañas los rosales   10
para que se trasladen al vecino.

Ya es mi carne mi ruina y mi tormento,
y a las peores cosas terrenales
ya me voy, ya me atengo, ya me inclino. [137]

10

Abril, el de las gracias a millones
y las aguas a mil, [138] amor, ya llega,
y yo me entrego a ti, como se entrega
el río a las doradas tentaciones

de su margen que alhajan los limones... [139]   5
Tú eres una florida y dulce vega,
y yo el caudal que las deslumbra y riega
con sus constantes joyas y atenciones. [140]

¡Qué bien sufro mi mal, mi bien, contigo,
hecho un Segura de oro caricioso   10
que tu vega de amor cuida y consuela!

Mírate en mi cristal visual y amigo
desde el gesto frutal de tu reposo
como naranja dulce de Orihuela.

---

[137] La tripartición de este verso final es uno de los mayores logros del soneto.   [138] Reproduce el dicho popular: «En abril, aguas mil.»   [139] El encabalgamiento entre los versos 4 y 5 es una excepción en los sonetos de Hernández.
[140] No hay que desechar connotaciones eróticas en la metáfora *río que riega
la vega*.

11

CASI-nada [33]

Manantial casi fuente; casi río
fuente; ya casi mar casi río apenas;
mar casi-casi océano de frío,
Principio y Fin del agua y las arenas.

Casi azul, casi cano, casi umbrío,   5
casi cielo salino con antenas,
casi diafanidad, casi vacío,
casi lleno de arpones y ballenas.

Participo del ave por el trino;
por la proximidad, polvo, del lodo   10
participas, desierto, del oasis,

distancia, de la vena del camino:
por la gracia de Dios —¡ved!—, casi todo,
Gran-Todo-de-la-nada-de-los-casis.

12

AY-eterno [34]

¡Ay, qué picuda y, ay, qué amargamente
me sales, *ay* me sales del retiro

---

(33) El poema destaca, sin duda, por el uso del término *casi*, en especial el último endecasílabo, donde lo sustantiva.

(34) Otro poema donde el poeta se queja de su situación, aunque

del alma, en el origen de la fuente
de la pena, del llanto y del suspiro!

¡Ay, éste soy: ay, éste que me miro,   5
pero que no me puedo ver frecuente:
éste que rabio y éste que deliro
bajo la mala sombra de mi frente!

En un *ay* paso el día más sereno:
un *ay* me empina y ¡ay! otro me acuesta: 10
un *ay* se va y otro *ay* viene en seguida.

13

El grano, una esperanza derramada,
por el esperanzado campesino,
dio en el aire un relámpago divino
y avalora la laborable nada.

A cada surco boquiabierto, a cada   5
arada herida, [141] un ansia sobrevino
de cielo manantial y cristalino
que les diera la forma de la espada.

Todo el campo miraba para el cielo:
y el cielo no manó lo deseado,   10
y todo se perdió en la confianza.

---

[141] *arada herida:* otra espléndida paronomasia. Cada arada es, en efecto, una herida que se hace a la tierra.

en este caso no es por su oficio, sino por las urgencias insatisfechas de la carne.

Volvió, tras un sereno desconsuelo,
el campesino al bieldo [142] y al arado,
y echó, fijo en el cielo, otra esperanza.

14

PENA-bienhallada [35]

Ojinegra la oliva en tu mirada,
boquitierna la tórtola en tu risa,
en tu amor pechiabierta la granada,
barbioscura en tu frente nieve y brisa.

Rostriazul el clavel sobre tu vena,   5
malherido el jazmín desde tu planta,
cejijunta en tu cara la azucena,
dulciamarga la voz en tu garganta.

Boquitierna, ojinegra, pechiabierta,
rostriazul, barbioscura, malherida,   10
cejijunta te quiero y dulciamarga.

Semiciego por ti llego a tu puerta,
boquiabierta la llaga de mi vida,
y agriendulzo la pena que la embarga.

---

[142] *bieldo:* instrumento agrícola que sirve para aventar las mieses.

(35) El poema destaca por el ejercicio consciente para crear o re-
crear vocablos compuestos.

EL SILBO VULNERADO

1

Para cuando me ves tengo compuesto,
de un poco antes de esta venturanza,
un gesto favorable de bonanza
que no es, amor, mi verdadero gesto.

Quiero decirte, amor, con sólo esto,   5
que cuando tú me das a la olvidanza,
reconcomido de desesperanza
¡cuánta pena me cuestas y me cuesto!

Mi verdadero gesto [143] es desgraciado
cuando la soledad me lo desnuda,   10
y desgraciado va de polo a polo.

Y no sabes, amor, que si tú el lado
mejor conoces de mi vida cruda,
yo nada más soy yo cuando estoy solo.

---

[143] Obsérvese que el término *gesto* rima con los finales de los versos 1, 4, 5, 8, produciéndose así una *rima al mezzo*.

2

Sin poder, como llevan las hormigas
el pan de su menudo laboreo,
llevo sobre las venas un deseo
sujeto como pájaro con ligas. [144]

Las fatigas [145] divinas, las fatigas   5
de la muerte me dan cuando te veo
con esa leche audaz en apogeo
y ese aliento de campo con espigas.

Suelto todas las riendas de mis venas
cuando te veo, amor, y me emociono   10
como se debe emocionar un muerto

al caer en el hoyo... Sin arenas,
rey de mi sangre, al verte me destrono,
sin arenas, amor, pero desierto. [146]

3 (36)

Gozar, y no morirse de contento,
sufrir, y no vencerse en el sollozo:

---

[144] La expresión podría parecer chocante en nuestros días, pero estas *ligas* no eran sino unas cintas elásticas con las que a veces se tenía en cierta libertad a los pájaros, permitiéndoles algo de vuelo, e impidiéndoles huir.   [145] Se produce en *fatigas* un fenómeno similar al contemplado en la nota 143.   [146] Este verso presenta una espléndida paradoja, ya que se siente *desierto* aunque *sin arenas*. Sobre la imagen del desierto y las arenas volverá en repetidas ocasiones.

(36) El soneto, a base de infinitivos, parece más propio de Lope o de un escritor de los siglos de oro que de un poeta del siglo xx.

¡Oh, qué ejemplar severidad del gozo
y qué serenidad del sufrimiento!

Dar a la sombra el estremecimiento,   5
si a la luz el brocal del alborozo,
y llorar tierra adentro como el pozo,
siendo al aire un sencillo monumento.

Anda que te andarás, ir por la pena,
pena adelante, a penas y alegrías   10
sin demostrar fragilidad ni un tanto.

¡Oh la luz de mis ojos qué serena!: [147]
¡qué agraciado en su centro encontrarías
el desgraciado [148] alrededor del llanto!

4

Yo te agradezco la intención, hermana,
la buena voluntad con que me asiste
tu alegría ejemplar: [149] pero desiste
por Dios: hoy no me abras la ventana.

Por Dios, hoy no me abras la ventana [150]   5
de la sonrisa, hermana, que estoy triste,

[147] Hay cierta relación entre este verso y «El aire se serena / y viste de hermosura y luz no usada» de la oda «A Francisco de Salinas», de Fray Luis de León. [148] M. Hernández sigue contraponiendo términos, al estilo clásico, como puede verse en *agraciado/desgraciado*. [149] Obsérvese el encabalgamiento *asiste/tu alegría ejemplar,* poco frecuente en la obra del poeta oriolano. [150] Un nuevo encabalgamiento (artículo + complemento determinativo) que basa, además, una estupenda imagen: «la ventana de la sonrisa».

lo mismo que un canario sin alpiste, [151]
dentro de la prisión de la mañana.

No te he de sonreír: aunque porfíes
porque a compás de tu sonrisa lo haga,   10
no puedo sonreír ante esta tierra.

Hoy es día de llanto: ¿por qué ríes?
Ya me duele tu risa en esta llaga
del lado izquierdo, [152] hermana... Cierra: cierra.

5

Cada vez que te veo entre las flores
de los huertos de marzo sobre el río,
ansias me dan de hacer un pío pío
al modo de los puros ruy-señores.

Al modo de los puros ruy-señores   5
dedicarte quisiera el amor mío,
requerirte cantando hasta el estío,
donde me amordazaron tus amores.

Demasiado mayor que tu estatura,
al coger por los huertos una poma [153]   10
demasiado mayor que tu apetito:

---

[151] Hernández se muestra recurrente al utilizar como término rimante *alpiste*, con lo que la posible belleza o novedad de la rima queda en entredicho. [152] La llaga del corazón, por estar situada en el lado izquierdo. Llaga de amor que tiene connotaciones religiosas.   [153] Nueva alusión bíblica. No hay que desconsiderar, sin embargo, un sentido erótico.

demasiado rebelde a la captura
hacia ti me conduzco por tu aroma
demasiado menor que chiquitito. [154]

6

¡Y qué buena es la tierra de mi huerto!:
hace un olor a madre que enamora,
mientras la azada mía el aire dora
y el regazo le deja pechiabierto.

Me sobrecoge una emoción de muerto [155]   5
que va a caer al hoyo en paz, ahora,
cuando inclino la mano horticultora
y detrás de la mano el cuerpo incierto.

¿Cuándo caeré, cuándo caeré al regazo
íntimo y amoroso, donde halla   10
tanta delicadeza la azucena?

Debajo de mis pies siento un abrazo,
que espera francamente que me vaya
a él, dejando estos ojos que dan pena. [156]

---

[154] La hipérbole se consigue, curiosamente, con un diminutivo, algo de lo que suele huir un buen poeta y que, sin embargo, produce el efecto deseado. [155] Nueva paradoja, pues el muerto no tiene ninguna emoción. Sin embargo, el efecto se produce por traslación a quienes están observando el enterramiento. [156] Otra premonición con reminiscencias adolescentes, que se cumplió. No debe olvidarse su pronta muerte y que no pudieron cerrarle los ojos.

7 ⁽³⁷⁾

Ni a sol ni a sombra vivo con sosiego,
que a sol y a sombra muero de baldío
con la sangre visual del labio mío
sin la tuya negándole su riego.

Árida está mi sangre sin tu apego   5
como un cardo montés en el estío...
¿Cuándo será que oiga el pío pío
de tu beso, mollar pájaro ciego?

Más negros que tiznados mis amores,
hasta los pormenores más livianos   10
detallan sus pesares con qué brío.

Dóralos con tus besos, ruy-señores,
alrededor la jaula de tus manos
y dentro, preso a gusto, mi albedrío.

8 ⁽³⁸⁾

Sabe todo mi huerto a desposado,
que está el azahar haciendo de las suyas

(37) En el soneto se recurre por enésima vez a los gastados ruy-señores como elementos de metáfora, y se basa en frases hechas y construcciones populares —*a sol y a sombra/pío pío/más negros que tiznados*—. Propone, sin embargo, algunas comparaciones novedosas —*como un cardo montés*—, una hermosa metáfora —*la jaula de tus manos*— y otra paradoja —*preso a gusto, mi albedrío*— que encierra un oxímoron. Un texto, pues, desigual.

(38) Las flores de azahar invitan al poeta a considerar la posibili-

y va el amor de píos y de puyas
de un lado de la rama al otro lado.

Jugar al ruy-señor enamorado   5
quisiera con mis ansias y las tuyas,
cuando de sestear, amor, concluyas
al pie del limonero limonado.

Dando besos al aire y a la nada,
voy por el andador donde la espuma   10
se estrella del limón intermitente.

¡Qué alegría ser par, amor, amada,
y alto bajo el ejemplo de la pluma,
y qué pena no serlo eternamente!

9 (39)

La pena, amor, mi tía y tu sobrina,
hija del alma y prima de la arena,
la paz de mis retiros desordena
mandándome a la angustia, su vecina.

La postura y el ánimo me inclina;   5
y en la tierra doy siempre menos buena,

---

dad de una pronta reunión —boda— con su amada. Se reconocen,
sin embargo, en el texto, algunos elementos de discordia de la pareja. Ello no impide considerar como deseable la posibilidad de serlo:
de ser *par*, como afirma en el verso 12. El último endecasílabo parece encerrar una alusión quevedesca.

(39) La mayor parte de los poemas de este período reflejan una
pena muy profunda del poeta, que no ve pronta y feliz salida a su
amor, debido a situaciones económicas y anímicas.

que hijo de pobre soy, cuando esta pena
me maltrata con su índole de espina.

¡Querido contramor, cuánto me haces
desamorar las cosas que más amo,   10
adolecer, vencerme y destruirme! [157]

¡Esquivo contramor, no te solaces
con oponer la nada a mi reclamo,
que ya no sé qué hacer para estar firme!

10

La pena hace silbar, lo he comprobado,
cuando el que pena, pena malherido,
pena de desamparo desabrido,
pena de soledad de enamorado.

¿Qué ruy-señor amante no ha lanzado   5
pálido, fervoroso y afligido,
desde la ilustre soledad del nido
el amoroso silbo vulnerado? [158]

¿Qué tórtola exquisita se resiste
ante el silencio crudo y favorable   10
a expresar su quebranto de viuda? [159]

[157] Nueva tripartición de un endecasílabo, utilizando para ello infinitivos.
[158] El verso encierra el título del conjunto en que se encuentra —*El silbo vulnerado*—, donde incluye una serie de sonetos con el tema de la pena por amor al fondo.   [159] Recurre aquí a la imagen de la tortolica viuda y sin amor, de nuestra poesía clásica, que no encuentra consolación.

Silbo en mi soledad, pájaro triste,
con una devoción inagotable
y me atiende la sierra siempre muda.

11

Como queda en la tarde que termina,
convertido en espera de barbecho
el cereal rastrojo barbihecho,
hecho una pura llaga campesina,

hecho una pura llaga campesina,   5
así me quedo yo solo y maltrecho
con un arado urgente [160] junto al pecho,
que hurgando en mis entrañas me asesina.

Así me quedo yo cuando el ocaso,
escogiendo la luz, el aire amansa   10
y todo lo avalora y lo serena:

perfil de tierra sobre el cielo raso,
donde un arado en paz fuera descansa
dando hacia dentro un aguijón de pena.

12 (40)

Como recojo en lo último del día,
a fuerza de honda, a fuerza de meneo,

---

[160] Magnífica imagen para definir la pena que corroe sus entrañas.

(40) El soneto no tiene ni un punto, algo infrecuente en M. Her-

en una piedra el sol que ya no veo,
porque ya está su flor en su agonía,

así recoge dentro el alma mía   5
por esta soledad de mi deseo
siempre en el pasto y nunca en el sesteo,
lo que le queda siempre a mi alegría:

una pena final como la tierra,
como la flor del haba blanquioscura,   10
como la ortiga hostil [161] desazonada,

indomable y cruel como la sierra, [162]
como el agua de invierno terca y pura, [163]
recóndita y eterna como nada.

13

Te espero en este aparte campesino
de almendro que inocencia [164] recomienda:
a reducir mi voz por esa senda
ven que se va otra vez por donde vino.

---

[161] Estupenda personificación de la ortiga: *hostil*, por los pelos con forma de pequeñísimas ampollas que estallan al menor roce, produciendo, al contacto con la piel, ronchas y escozor.   [162] El endecasílabo puede leerse, al menos, de dos formas: rompiendo la sinalefa entre *indomable - y;* o situando una crema sobre la *u* de *cruel* —*crüel*—. Me inclino hacia la primera posibilidad.   [163] La vivificación del agua —*terca y pura*— es espléndida.   [164] *inocencia:* la blancura de las flores del almendro.

nández, que suele atenerse a la división más clásica en dos cuartetos y dos tercetos independientes sintácticamente.

En el campo te espero: mi destino, 5
junto a la flor del trigo y de mi hacienda,
y al campo has de venir, distante prenda,
a quererme alejada del espino.

Quiere el amor romero, grama [165] y juncia: [166]
ven que romero y grama son mi asedio 10
y la juncia mi límite y mi amparo.

A tu boca, tan breve se pronuncia,
se le va a derramar lo .menos medio
del beso que a tu risa le preparo.

14

Una interior cadena de suspiros
al cuello llevo crudamente echada,
y en cada ojo, en cada mano, en cada
labio dos riendas fuertes como tiros.

Cuando a la soledad de estos retiros 5
vengo a olvidar tu ausencia inolvidada,
por menos de un poquito, [167] que es por nada,
vuelven mis pensamientos a sus giros.

Alrededor de ti, muerto de pena,
como pájaros negros los extiendo 10
y en tu memoria pacen poco a poco.

---

[165] *grama:* hierba común, con propiedades medicinales.   [166] *juncia:* planta ciperácea propia de sitios húmedos, con tallo triangular; aromática y medicinal, especialmente su rizoma.   [167] De nuevo hace uso de un diminutivo. Recuérdese la nota 154.

Y angustiado desato la cadena,
y la voz de las riendas desoyendo,
por el campo del llanto me desboco.

15

Un acontecimiento de osadía,
de ángel en rebelión, a la distancia
de tus brazos, esbelto de arrogancia
con una mar en ímpetu, me envía.

Cuando me acuerdo de la sangre umbría: 5
de la sangre mi madre, en circunstancia
de resplandor, palmera y abundancia,
por siempre tuya y por desgracia mía.

Mi gallo, amor, mi yugo y mi quebranto:
mi sangre, que me imprime contra todo   10
y me imposibilita el aire, loca.

Que me derriba apenas me levanto,
y me pulsa y me lleva ¡de qué modo!
a la visiva [168] sangre de tu boca.

---

[168] *visiva:* que sirve para ver, relativa a la visión. El adjetivo no parece muy
apropiado para lo que quiere significar.

IMAGEN DE TU HUELLA

1

Mis ojos, sin tus ojos, no son ojos,
que son dos hormigueros solitarios,
y son mis manos sin las tuyas varios
intratables espinos a manojos.

No me encuentro los labios sin tus rojos,   5
que me llenan de dulces campanarios,
sin ti mis pensamientos son calvarios
criando [169] cardos y agostando hinojos.

No sé qué es de mi oreja sin tu acento,
ni hacia qué polo yerro sin tu estrella, [170]   10
y mi voz sin tu trato se afemina.

Los olores persigo de tu viento
y la olvidada imagen de tu huella, [171]
que en ti principia, amor, y en mí termina.

---

[169] El término *criando* necesita la crema sobre la *i* —*crïando*— para que el verso sea endecasílabo, al romperse de ese modo el diptongo. [170] La Estrella Polar indica el Polo Norte, mientras la Cruz del Sur indica el Polo Sur. La amada se configura así como estrella que guía al navegante-amado. [171] El verso contiene el título del conjunto: *Imagen de tu huella*.

2 [41]

Ya se desembaraza y se desmembra
el angélico lirio de la cumbre, [172]
y al desembarazarse da un relumbre
que de un puro relámpago me siembra.

Es el tiempo del macho y de la hembra,   5
y una necesidad, no una costumbre,
besar, amar en medio de esta lumbre
que el destino decide de la siembra.

Toda la creación busca pareja:
se persiguen los picos y los huesos,   10
hacen la vida par todas las cosas.

En una soledad impar que aqueja,
yo entre esquilas sonantes como besos
y corderas atentas como esposas.

---

[172] *el angélico lirio de la cumbre:* la nieve. Recuerda la primera estrofa de la oda
«A don Pedro Portocarrero», de Fray Luis: «La cana y alta cumbre / de Ilíberi,
clarísimo Carrero, / contiene en sí su lumbre...»

(41) Hermoso poema sobre los deseos insatisfechos del poeta, que
se siente, con la llegada de la primavera, y en contacto con la Naturaleza en celo, hervir de deseo de acoplamiento.

EL RAYO QUE NO CESA

A ti sola, en cumplimiento de una promesa
que habrás olvidado como si fuera tuya.

1

Un carnívoro cuchillo [173]
de ala dulce y homicida
sostiene un vuelo y un brillo
alrededor de mi vida.

Rayo [174] de metal crispado   5
fulgentemente caído,
picotea mi costado
y hace en él un triste nido.

Mi sien, florido balcón
de mis edades tempranas,   10
negra está, y mi corazón,
y mi corazón con canas.

---

[173] *un carnívoro cuchillo:* símbolo de los efectos del amor. La imagen se en-
cuadra en la mejor tradición áurea, pero también tiene reminiscencias lor-
quianas.   [174] El rayo es, desde este primer poema del bloque, el símbolo que
refleja su amor doliente, su amor herido.

Tal es la mala virtud
del rayo que me rodea,
que voy a mi juventud   15
como la luna a la aldea.

Recojo con las pestañas
sal del alma y sal del ojo
y flores de telarañas
de mis tristezas recojo.   20

¿Adónde iré que no vaya
mi perdición a buscar?
Tu destino es de la playa
y mi vocación del mar.

Descansar de esta labor   25
de huracán, amor o infierno
no es posible, y el dolor
me hará a mi pesar eterno.

Pero al fin podré vencerte,
ave y rayo secular,   30
corazón, que de la muerte
nadie ha de hacerme dudar.

Sigue, pues, sigue, cuchillo,
volando, hiriendo. Algún día
se pondrá el tiempo amarillo [175]   35
sobre mi fotografía.

---

[175] *tiempo amarillo:* magnífica sinestesia para indicar la trascendencia del amor sobre el tiempo, muy en la línea clásica del «polvo enamorado».

2 (42)

¿No cesará este rayo que me habita
el corazón de exasperadas fieras
y de fraguas coléricas y herreras
donde el metal más fresco se marchita?

¿No cesará esta terca estalactita   5
de cultivar sus duras cabelleras
como espadas y rígidas hogueras
hacia mi corazón que muge y grita? [176]

Este rayo ni cesa ni se agota:
de mí mismo tomó su procedencia   10
y ejercita en mí mismo sus furores.

Esta obstinada piedra de mí brota
y sobre mí dirige la insistencia
de sus lluviosos rayos destructores.

---

[176] *corazón que muge y grita:* espléndida vivificación y personificación del corazón, al que, como lugar de residencia del amor, según la simbología clásica, revitaliza y moderniza con estas expresiones.

(42) El poema, como han advertido los críticos, está montado paralelísticamente sobre dos elementos: el rayo y la estalactita, símbolos ambos de la pasión amorosa, una pasión de la que no puede liberarse por nacer dentro de él mismo.

3

Guiando un tribunal de tiburones, [177]
como con dos guadañas eclipsadas, [178]
con dos cejas tiznadas y cortadas
de tiznar y cortar los corazones,

en el mío has entrado, y en él pones　　　　　5
una red de raíces irritadas,
que avariciosamente acaparadas
tiene en su territorio sus pasiones.

Sal de mi corazón del que me has hecho
un girasol sumiso y amarillo　　　　　　　　10
al dictamen solar que tu ojo envía: [179]

un terrón para siempre insatisfecho,
un pez embotellado y un martillo [180]
harto de golpear en la herrería.

4

Me tiraste un limón, [181] y tan amargo,
con una mano cálida, y tan pura,

---

[177] Parecería algo fuera de lugar el uso de estos fieros *tiburones* en un poeta de tierra adentro, como el de Orihuela. Sin embargo, era común en la época, y Miguel sabe aprovechar sus características para lograr imágenes espléndidas con el mar al fondo. [178] La guadaña, cortante como el cuchillo del primer poema, tiene además la forma de la luna, tan familiar al autor de *Perito en lunas;* de ahí el adjetivo que la acompaña. [179] Como el girasol respecto al astro rey, el poeta está pendiente de la situación —física y anímica— de su amada. [180] Tanto el pez embotellado como el martillo son consecuencias directas del «tribunal de tiburones» del primer endecasílabo. [181] Los posibles

que no menoscabó su arquitectura
y probé su amargura sin embargo.

Con el golpe amarillo, [182] de un letargo   5
dulce pasó a una ansiosa calentura
mi sangre, que sintió la mordedura
de una punta de seno duro y largo. [183]

Pero al mirarte y verte la sonrisa
que te produjo el limonado hecho,   10
a mi voraz malicia tan ajena,

se me durmió la sangre en la camisa,
y se volvió el poroso y áureo pecho
una picuda y deslumbrante pena.

5

Tu corazón, una naranja helada [184]
con un dentro sin luz de dulce miera [185]
y una porosa vista de oro: un fuera
ventura prometiendo a la mirada.

orígenes culturales y tradicionales de esta expresión han sido estudiados en varias ocasiones. Recuerdan el «naranjitas me tira la niña», de Lope de Vega, asumido de la lírica tradicional, y también «Yo tiré un limón por alto», canción popular murciana. Un soneto de Luis Carrillo de Sotomayor tiene como título «A un limón que le arrojó una dama desde un balcón». Todavía puede pensarse en una canción popular de Teruel que reza así: «Arrójame las naranjitas / por encima de tu ventana. / Arrójamelas, vida mía, / arrójamelas, linda dama.»   [182] *golpe amarillo:* otra espléndida sinestesia.   [183] La similitud de forma y volumen entre *limón y seno* origina la reflexión sobre las reprimidas necesidades sexuales del poeta.   [184] El corazón se corresponde, por forma, color y volumen, con la naranja, pero al no plegarse a los deseos del amante, recibe la calificación de *helada.*   [185] *miera:* aceite espeso, muy amargo y de color oscuro, que se obtiene destilando bayas y ramas de enebro.

Mi corazón, una febril granada   5
de agrupado rubor y abierta cera,
que sus tiernos collares [186] te ofreciera
con una obstinación enamorada.

¡Ay, qué acometimiento de quebranto
ir a tu corazón y hallar un hielo   10
de irreductible y pavorosa nieve!

Por los alrededores de mi llanto
un pañuelo sediento va de vuelo,
con la esperanza de que en él lo abreve.

6

Umbrío [187] por la pena, casi bruno, [188]
porque la pena tizna cuando estalla,
donde yo no me hallo no se halla
hombre más apenado que ninguno.

Sobre la pena duermo solo y uno,   5
pena es mi paz y pena mi batalla, [189]
perro que ni me deja ni se calla,
siempre a su dueño fiel, pero importuno.

Cardos y penas llevo por corona,
cardos y penas siembran sus leopardos [190]   10
y no me dejan bueno hueso alguno.

---

[186] La imagen *collares* está en otros textos de Hernández. Véase la nota 40.
[187] *umbrío por la pena:* oscuro por el dolor. [188] *bruno:* de color negro o muy oscuro. [189] La contraposición *paz/batalla* reconoce el estado de altibajos en que el poeta se encuentra por causa del amor no culminado. [190] La fauna salvaje es frecuente en la poesía de la época, sin duda por influjo del surrealismo y, en concreto, de *Sombra del paraíso*, de Vicente Aleixandre.

No podrá con la pena mi persona
rodeada de penas y de cardos:
¡cuánto penar para morirse uno!

7

Después de haber cavado este barbecho
me tomaré un descanso por la grama
y beberé del agua que en la rama
su esclava nieve aumenta en mi provecho.

Todo el cuerpo me huele a recienhecho   5
por el jugoso fuego que lo inflama
y la creación que adoro se derrama
a mi mucha fatiga como un lecho.

Se tomará un descanso el hortelano
y entretendrá sus penas combatido   10
por el salubre [191] sol y el tiempo manso.

Y otra vez, inclinando cuerpo y mano,
seguirá ante la tierra perseguido
por la sombra del último descanso.

8 (43)

Por tu pie, la blancura más bailable,
donde cesa en diez partes tu hermosura,

---

[191] *salubre:* saludable, el sol del invierno, frente al sol del verano.

(43) Frente a un buen número de poemas donde el color negro
predomina (el que empieza «Umbrío por la pena» puede servir de

una paloma sube a tu cintura,
baja a la tierra un nardo interminable.

Con tu pie vas poniendo lo admirable   5
del nácar en ridícula estrechura
y a donde va tu pie va la blancura,
perro sembrado de jazmín calzable.

A tu pie, tan espuma como playa,
arena y mar me arrimo y desarrimo   10
y al redil de su planta entrar procuro.

Entro y dejo que el alma se me vaya
por la voz amorosa del racimo:
pisa mi corazón [192] que ya es maduro.

9 **(44)**

Fuera menos penado si no fuera
nardo tu tez para mi vista, nardo,

---

[192] El corazón es un racimo de uvas que se puede pisar para extraer su jugo, pues ya está maduro.

ejemplo), en éste el blanco es el motivo fundamental, al significar la pureza de la amada. Por ello incluye los términos *blancura, paloma, nardo, nácar, jazmín, espuma.*

(44) «Miguel Hernández, cinco siglos más tarde, resucita la gracia del verso simétrico o capicúa, en un poema que también recuerda a los medievales "sonetos con eco" y que es —en cuanto a la construcción— el soneto más atrevido y difícil de nuestra época», Rafael Azuar, «Sobre los sonetos de Miguel Hernández», en María de Gracia Ifach (ed.), *Miguel Hernández,* p. 213.

cardo tu piel para mi tacto, cardo,
tuera [193] tu voz para mi oído, tuera.

Tuera es tu voz para mi oído, tuera,   5
y ardo en tu voz y en tu alrededor ardo,
y tardo a arder lo que a ofrecerte tardo
miera, mi voz para la tuya miera.

Zarza es tu mano si la tiento, zarza,
ola tu cuerpo si lo alcanzo, ola,   10
cerca una vez, pero un millar no cerca.

Garza es mi pena, esbelta y triste garza,
sola como un suspiro y un ay, sola,
terca en su error y en su desgracia terca.

                    10 (45)

Tengo estos huesos hechos a las penas
y a las cavilaciones estas sienes:
pena que vas, cavilación que vienes
como el mar de la playa a las arenas. [194]

---

[193] *tuera:* fruto de la coloquíntida, semejante a la naranja en forma y tamaño, pero muy amargo.   [194] El vaivén de las olas es semejante al de sus penas,
originadas por la imposibilidad de consumar su amor. El mar, que tenía cabida también en el poema que empieza «Por tu pie», cobra en éste absoluta
relevancia.

(45) La rima *enas, enes* de los dos cuartetos favorece la expresión
del sentimiento de pena, que así parece más reiterativo. La expresión *noche oscura de sartenes* conjuga dos estructuras que supondríamos
irreconciliables, si no tuviera cabida en el verso 7. La primera —*noche oscura*—, referida a cuestiones del alma; la segunda —*de sartenes*—,

Como el mar de la playa a las arenas,   5
voy en este naufragio de vaivenes
por una noche oscura de sartenes
redondas, pobres, tristes y morenas.

Nadie me salvará de este naufragio
si no es tu amor, la tabla que procuro,   10
si no es tu voz, el norte que pretendo.

Eludiendo por eso el mal presagio
de que ni en ti siquiera habré seguro,
voy entre pena y pena sonriendo.

11 (46)

Te me mueres de casta y de sencilla:
estoy convicto, amor, estoy confeso
de que, raptor intrépido de un beso,
yo te libé la flor de la mejilla. [195]

Yo te libé la flor de la mejilla,   5
y desde aquella gloria, aquel suceso,

---

[195] *yo te libé la flor de la mejilla:* suele relacionarse, como hace J. C. Rovira, con una canción popular murciana: «Una abeja en los labios / le picó a mi bien; / ¡siempre van las abejas / donde está la miel!»

referida a cuestiones domésticas. Hernández demuestra un atrevimiento poco común y consigue una imagen novedosa y espléndida.

(46) Surgen en este soneto algunos vocablos de la terminología judicial, como *convicto, confeso, suceso, delincuente, perseguido,* y algún otro, que hacen pensar en su etapa trabajando en la notaría de don Luis Maseres, tras haber pasado por una tienda de tejidos —«El Globo»—, como contador, a la vuelta de su primera estancia madrileña.

tu mejilla, de escrúpulo y de peso,
se te cae deshojada y amarilla.

El fantasma del beso delincuente [196]
el pómulo te tiene perseguido,   10
cada vez más patente, negro y grande.

Y sin dormir estás, celosamente,
vigilando mi boca ¡con qué cuido!
para que no se vicie y se desmande.

12 (47)

Una querencia [197] tengo por tu acento,
una apetencia por tu compañía
y una dolencia de melancolía
por la ausencia del aire de tu viento.

Paciencia necesita mi tormento,   5
urgencia de tu garza galanía,
tu clemencia solar mi helado día,
tu asistencia la herida en que lo cuento.

---

[196] *beso delincuente:* beso robado.   [197] *querencia:* tendencia natural de un ser animado hacia alguna cosa. Suele utilizarse para indicar la inclinación del toro por ciertos lugares de la plaza. Es una de las primeras señales de Hernández en su aproximación al símbolo del toro.

(47) En el soneto se produce rima interna entre los sustantivos iniciales de los ocho primeros endecasílabos: *querencia, apetencia, dolencia, ausencia, paciencia, urgencia, clemencia, asistencia.* El efecto que persigue con ello es de intensificación de su pena, producida en esta ocasión por la ausencia de la amada.

¡Ay querencia, dolencia y apetencia!:
tus sustanciales besos, mi sustento,   10
me faltan y me muero sobre mayo.

Quiero que vengas, flor desde tu ausencia,
a serenar la sien del pensamiento
que desahoga en mí su eterno rayo.

13

Mi corazón no puede con la carga
de su amorosa y lóbrega tormenta
y hasta mi lengua eleva la sangrienta
especie clamorosa que lo embarga.

Ya es corazón mi lengua lenta y larga,   5
mi corazón ya es lengua larga y lenta... [198]
¿Quieres contar sus penas? Anda y cuenta
los dulces granos de la arena amarga.

Mi corazón no puede más de triste:
con el flotante espectro de un ahogado   10
vuela en la sangre y se hunde sin apoyo.

Y ayer, dentro del tuyo, me escribiste
que de nostalgia tienes inclinado
medio cuerpo hacia mí, medio hacia el hoyo.

---

[198] El poeta acude a la hipérbole para manifestar su dolor.

14 **(48)**

Silencio de metal triste y sonoro,
espadas congregando con amores
en el final de huesos destructores
de la región volcánica del toro. [199]

Una humedad de femenino oro   5
que olió puso en su sangre resplandores,
y refugió un bramido entre las flores
como un huracanado y vasto lloro.

De amorosas y cálidas cornadas
cubriendo está los trebolares [200] tiernos   10
con el dolor de mil enamorados.

Bajo su piel las furias refugiadas
son en el nacimiento de sus cuernos
pensamientos de muerte edificados.

15 **(49)**

Me llamo barro aunque Miguel [201] me llame.
Barro es mi profesión y mi destino
que mancha con su lengua cuanto lame.

---

[199] El lugar por donde entra la espada, entre las dos paletillas del toro: el
morrillo.   [200] *trebolares:* terrenos cubiertos de tréboles.   [201] Era corriente entre

(48) Se trata de uno de los «locos sonetos», en caracterización
juanramoniana, que acompañaban a la «Elegía» a Ramón Sijé en el
número CL de la *Revista de Occidente,* aparecida en enero de 1936,
aunque correspondiente a diciembre del año anterior.
(49) Uno de los poemas más estudiados de la obra hernandiana.

Soy un triste instrumento del camino. [202]
Soy una lengua dulcemente infame   5
a los pies que idolatro desplegada.

Como un nocturno buey de agua [203] y barbecho
que quiere ser criatura idolatrada,
embisto a tus zapatos y a sus alrededores,
y hecho de alfombras y de besos hecho   10
tu talón que me injuria beso y siembro de flores.

Coloco relicarios [204] de mi especie
a tu talón mordiente, a tu pisada,
y siempre a tu pisada me adelanto
para que tu impasible pie desprecie   15
todo el amor que hacia tu pie levanto.

Más mojado que el rostro de mi llanto,
cuando el vidrio lanar del hielo bala,
cuando el invierno tu ventana cierra
bajo a tus pies un gavilán de ala,   20
de ala manchada y corazón de tierra.

---

los poetas de la época incluir su propio nombre en la obra. Aquí *Miguel* —nombre de arcángel, es decir, ente espiritual— funciona además como antítesis de barro, prototipo de la materialidad.   [202] El tema del camino puede ser influjo tanto de Machado como de León Felipe, aunque la crítica se inclina por el modelo de *Residencia en la tierra* de Neruda.   [203] *buey de agua:* importante cauce de agua.   [204] *relicario:* caja o estuche donde se conservan reliquias. Aquí funciona como metáfora de pegotes de barro.

Constituye una autodefinición, una toma de posicionamiento del hombre —que se sabe salido de la tierra— y el mundo que lo rodea. Es, desde luego, un canto a la trascendencia, porque el poeta, que se llama Miguel, pretende a toda costa salir de la situación en que se encuentra como ser humano y como escritor.

Bajo a tus pies un ramo derretido
de humilde miel pataleada y sola,
un despreciado corazón caído
en forma de alga y en figura de ola.   25

Barro en vano me invisto de amapola,
barro en vano vertiendo voy mis brazos,
barro en vano te muerdo los talones,
dándote a malheridos aletazos
sapos como convulsos corazones.   30

Apenas si me pisas, si me pones
la imagen de tu huella sobre encima, [205]
se despedaza y rompe la armadura
de arrope [206] bipartido que me ciñe la boca
en carne viva y pura,   35
pidiéndote a pedazos que la oprima
siempre tu pie de liebre libre [207] y loca.

Su taciturna nata se arracima,
los sollozos agitan su arboleda
de lana cerebral bajo tu paso.   40
Y pasas, y se queda
incendiando su cera de invierno ante el ocaso,
mártir, alhaja y pasto de la rueda.

Harto de someterse a los puñales
circulantes del carro y la pezuña,   45

---

[205] Miguel retoma aquí el título de la colección de sonetos *Imagen de tu huella,* y usa de nuevo la imagen del hombre pisoteado por amor. Ver la nota 192.   [206] *arrope:* mosto cocido hasta que toma consistencia de jarabe.
[207] Obsérvese, nuevamente, el juego de paronomasias *liebre/libre.* Pero adviértase, asimismo, el de aliteraciones vocálicas —*e, i*— y consonánticas —*p, r, l, b*— del endecasílabo.

teme del barro un parto de animales
de corrosiva piel y vengativa uña.

Teme que el barro crezca en un momento,
teme que crezca y suba y cubra tierna,
tierna y celosamente   50
tu tobillo de junco, mi tormento,
teme que inunde el nardo de tu pierna
y crezca más y ascienda hasta tu frente.

Teme que se levante huracanado
del blando territorio del invierno   55
y estalle y truene y caiga diluviado
sobre tu sangre duramente tierno.

Teme un asalto de ofendida espuma
y teme un amoroso cataclismo.

Antes que la sequía lo consuma   60
el barro ha de volverte de lo mismo.

16

Si la sangre también, como el cabello,
con el dolor y el tiempo encaneciera,
mi sangre, roja hasta el carbunclo, [208] fuera
pálida hasta el temor y hasta el destello.

Desde que me conozco me querello   5
tanto de tanto andar de fiera en fiera
sangre, y ya no es mi sangre una nevera
porque la nieve no se ocupa de ello.

---
[208] *carbunclo:* rubí.

Si el tiempo y el dolor fueran de plata
surcada como van diciendo quienes   10
a sus obligatorias y verdugas

reliquias dan lugar, como la nata,
mi corazón tendría ya las sienes
espumosas de canas y de arrugas.

17

El toro sabe al fin de la corrida,
donde prueba su chorro repentino,
que el sabor de la muerte es el de un vino
que el equilibrio impide de la vida.

Respira corazones por la herida   5
desde un gigante corazón vecino,
y su vasto poder de piedra y pino
cesa debilitado en la caída.

Y como el toro tú, mi sangre astada,
que el cotidiano cáliz de la muerte, [209]   10
edificado con un turbio acero,

vierte sobre mi lengua un gusto a espada
diluida en un vino espeso y fuerte
desde mi corazón donde me muero.

---

[209] Las alusiones religiosas de este poema son claras en este cáliz de la muerte que contiene un vino presente en los versos 3 y 13.

18 (50)

Ya de su creación, tal vez, alhaja
algún sereno aparte campesino
el algarrobo, el haya, el roble, el pino
que ha de dar la materia de mi caja.

Ya, tal vez, la combate y la trabaja   5
el talador con ímpetu asesino
y, tal vez, por la cuesta del camino
sangrando sube y resonando baja.

Ya, tal vez, la reduce a geometría, [210]
a pliegos aplanados quien apresta   10
el último refugio a todo vivo.

Y cierta y sin tal vez, la tierra umbría [211]
desde la eternidad está dispuesta
a recibir mi adiós definitivo.

19

Yo sé que ver y oír a un triste enfada
cuando se viene y va de la alegría

---

[210] *la reduce a geometría:* imagen muy propia de los poetas surrealistas del momento.   [211] Josefina Manresa advierte que, el día del entierro de Miguel, «el
largo camino del cementerio era de bancales a un lado y otro. Los campesinos, en el barbecho, se incorporaban apoyándose en los riñones quitándose el
sombrero», ob. cit., pp. 144-145.

(50) Otro poema premonitorio de una muerte temprana. Miguel
no fue inhumado bajo tierra, sino en el nicho 1.009 del cementerio

como un mar meridiano a una bahía,
a una región esquiva y desolada.

Lo que he sufrido y nada todo es nada   5
para lo que me queda todavía
que sufrir el rigor de esta agonía
de andar de este cuchillo a aquella espada.

Me callaré, me apartaré si puedo
con mi constante pena instante, plena,   10
a donde ni has de oírme ni he de verte.

Me voy, me voy, me voy, pero me quedo,
pero me voy, desierto y sin arena: [212]
adiós, amor, adiós hasta la muerte.

20 (51)

No me conformo, no: me desespero
como si fuera un huracán de lava

---

[212] La paradoja «desierto y sin arena» está en otros poemas. Todo el soneto incluye elementos ya contemplados en la poesía anterior de Hernández. Desde las paradojas a la rima interna, que se produce en el verso 10 —*pena: plena.*

de Nuestra Señora de los Remedios de Alicante, como se advirtió en la Introducción.

(51) «La *pena* ya no es "cardo", "zarza", "arado" que va hurgando en las entrañas; se convierte en "huracán de lava", "rayo", "carnívoro cuchillo"... Lo que antes era sólo melancolía de enamorado, sentimiento dolorido, es ahora pasión, explosión volcánica. El *crescendo* del sentimiento va hallando su resonancia en la imagen cada vez más directa y vigorosa», Juan Cano Ballesta, *La poesía de Miguel Hernández,* cit., p. 126.

en el presidio de una almendra esclava
o en el penal colgante [213] de un jilguero.

Besarte fue besar un avispero   5
que me clava al tormento y me desclava
y cava un hoyo fúnebre y lo cava
dentro del corazón donde me muero.

No me conformo, no: ya es tanto y tanto
idolatrar la imagen de tu beso   10
y perseguir el curso de tu aroma.

Un enterrado vivo por el llanto,
una revolución dentro de un hueso,
un rayo soy sujeto a una redoma. [214]

21 **(52)**

¿Recuerdas aquel cuello, haces memoria
del privilegio aquel, de aquel aquello
que era, almenadamente blanco y bello,
una almena de nata [215] giratoria?

---

[213] *penal colgante:* la jaula. Después de publicar *Perito en lunas* Miguel visitó algunos pueblos recitando poemas. Llevaba una jaula con un limón dentro a guisa de canario.   [214] *redoma:* recipiente de laboratorio, de forma cónica y con cuello estrecho. Significa aquí la absoluta falta de libertad en que se encuentra el poeta enamorado.   [215] Es frecuente en Miguel la imagen de la nata para reproducir y significar el color blanco.

(52) En la poesía petrarquista el poeta solía dibujar a su amada sobre tres o cuatro tópicos: cabello, cuello, ojos..., sin atreverse a descender a otros niveles de su geografía anatómica. Es lo que hace aquí Hernández, limitándose a cuello y cabello. Manifiesta, una vez más, sus necesidades insatisfechas.

Recuerdo y no recuerdo aquella historia   5
dc marfil expirado en un cabello,
donde aprendió a ceñir el cisne cuello
y a vocear la nieve transitoria.

Recuerdo y no recuerdo aquel cogollo
de estrangulable hielo femenino   10
como una lacteada y breve vía. [216]

Y recuerdo aquel beso sin apoyo
que quedó entre mi boca y el camino
de aquel cuello, aquel beso y aquel día.

22

Vierto la red, esparzo la semilla
entre ovas, [217] aguas, surcos y amapolas,
sembrando a secas y pescando a solas
de corazón ansioso y de mejilla.

Espero a que recaiga en esta arcilla   5
la lluvia con sus crines y sus colas,
relámpagos sujetos a las olas
desesperando espero en esta orilla.

Pero transcurren lunas y más lunas,
aumenta de mirada mi deseo   10
y no crezco en espigas o en pescados.

Lunas de perdición como ningunas,
porque sólo recojo y sólo veo
piedras como diamantes eclipsados.

---

[216] *lacteada y breve vía:* la Vía Láctea.   [217] *ovas:* algas de agua dulce.

23 [53]

Como el toro he nacido para el luto
y el dolor, como el toro estoy marcado
por un hierro infernal en el costado
y por varón en la ingle con un fruto. [218]

Como el toro lo encuentra diminuto   5
todo mi corazón desmesurado,
y del rostro del beso enamorado,
como el toro a tu amor se lo disputo.

Como el toro me crezco en el castigo,
la lengua en corazón tengo bañada   10
y llevo al cuello un vendaval sonoro.

Como el toro te sigo y te persigo,
y dejas mi deseo en una espada,
como el toro burlado, como el toro.

24

Fatiga tanto andar sobre la arena
descorazonadora de un desierto,

---

[218] El higo suele ser imagen de los testículos en la simbología hernandiana.

(53) Uno de los sonetos más estudiados de Miguel Hernández, sin duda por ser uno de los más emblemáticos de *El rayo que no cesa*. El paralelismo entre el toro y el poeta, ambos nacidos para sufrir, tanto por su desmesurado amor como por su extremada virilidad y fortaleza, se refleja en las comparaciones reiteradas en el primer verso de cada estrofa. La huella de Quevedo es evidente en toda la composición.

tanto vivir en la ciudad de un puerto
si el corazón de barcos no se llena.

Angustia tanto el son de la sirena 5
oído siempre en un anclado huerto,
tanto la campanada por el muerto
que en el otoño y en la sangre [219] suena,

que un dulce tiburón, [220] que una manada
de inofensivos cuernos recentales, 10
habitándome días, meses y años,

ilustran mi garganta y mi mirada
de sollozos de todos los metales
y de fieras de todos los tamaños.

25 **(54)**

Al derramar tu voz su mansedumbre
de miel bocal, y al puro bamboleo,
en mis terrestres manos el deseo
sus rosas pone al fuego de costumbre.

Exasperado llego hasta la cumbre 5
de tu pecho de isla, y lo rodeo
de un ambicioso mar y un pataleo
de exasperados pétalos de lumbre.

---

[219] Obsérvese la belleza de la expresión que resulta de una breve enumeración caótica: *en el otoño y en la sangre.* [220] *dulce tiburón:* otro oxímoron.

(54) Otro poema donde se refleja la angustia del amor no consumado. Como en «Oh más dura que mármol a mis quejas», de Garcilaso, el poeta refleja la dureza de la amada ante sus pretensiones.

Pero tú te defiendes con murallas
de mis alteraciones codiciosas   10
de sumergirte en tierras y oceanos.

Por piedra pura, indiferente, callas:
callar de piedra, que otras y otras rosas
me pones y me pones en las manos.

26

Por una senda van los hortelanos,
que es la sagrada hora del regreso,
con la sangre injuriada por el peso
de inviernos, primaveras y veranos.

Vienen de los esfuerzos sobrehumanos   5
y van a la canción, y van al beso,
y van dejando por el aire impreso
un olor de herramientas y de manos. [221]

Por otra senda yo, por otra senda
que no conduce al beso aunque es la hora,   10
sino que merodea sin destino.

Bajo su frente trágica y tremenda,
un toro solo en la ribera llora
olvidando que es toro y masculino. [222]

---

[221] Un poema que, con el tema del amor al fondo, refleja su atención a la vida, al trabajo del campesino, que, tras una larga jornada de labor, regresa al hogar *buscando la canción y el beso de la esposa y los hijos.* [222] La imagen del toro lo es de la virilidad. Como el poeta se iguala al toro, no debe llorar, porque el llanto no parece acorde con la masculinidad.

27 (55)

Lluviosos ojos que lluviosamente
me hacéis penar: lluviosas soledades, [223]
balcones de las rudas tempestades
que hay en mi corazón adolescente.

Corazón cada día más frecuente   5
en para idolatrar criar ciudades
de amor que caen de todas mis edades
babilónicamente y fatalmente. [224]

Mi corazón, mis ojos sin consuelo,
metrópolis de atmósfera sombría   10
gastadas por un río lacrimoso.

Ojos de ver y no gozar el cielo,
corazón de naranja [225] cada día,
si más envejecido, más sabroso.

28

La muerte, toda llena de agujeros
y cuernos de su mismo desenlace,

---

[223] Góngora también está al fondo de todo *El rayo que no cesa,* y estas *lluviosas soledades,* que lo son por la ausencia de la amada, pudieran muy bien recordar las *Soledades* del poeta cordobés.   [224] Referencia a Babilonia, ciudad en que se disfrutaba de todos los placeres, en especial de los amorosos. *Fatalmente* tiene aquí el sentido original del término: *fatum,* hado, destino.   [225] La imagen del corazón como naranja está en otros poemas de Miguel. Véase la nota 184.

(55) El soneto «representa un desafío a las dificultades de la métrica, resuelto afortunadamente en el último terceto, lleno de gracia

bajo una piel de toro pisa y pace
un luminoso prado de toreros.

Volcánicos bramidos, [226] humos fieros   5
de general amor por cuanto nace,
a llamaradas echa mientras hace
morir a los tranquilos ganaderos.

Ya puedes, amorosa fiera hambrienta,
pastar mi corazón, trágica grama,   10
si te gusta lo amargo de su asunto.

Un amor hacia todo me atormenta
como a ti, y hacia todo se derrama
mi corazón vestido de difunto.

29

ELEGÍA [(56)]

*(En Orihuela, su pueblo y el mío, se me ha muerto
como del rayo Ramón Sijé, con quien tanto quería.)*

Yo quiero ser llorando el hortelano
de la tierra que ocupas y estercolas, [227]
compañero del alma, tan temprano.

---

[226] *volcánicos bramidos:* porque surgen de la boca del toro como de un volcán,
pero puede ser también por ir acompañados de sangre —lava—.   [227] Hay que

y equilibrio. Las dos primeras estrofas son de un tono profundo y sha-
kespeariano que se va suavizando en los tercetos, donde hace gala el poeta de un dominio absoluto de la técnica», Rafael Azuar, ob. cit., p. 211.

(56) Uno de los mejores poemas de Miguel, alabado, ya recién pu-

Alimentando lluvias, caracolas
y órganos mi dolor sin instrumento,   5
a las desalentadas amapolas

daré tu corazón por alimento.
Tanto dolor se agrupa en mi costado,
que por doler me duele hasta el aliento.

Un manotazo duro, un golpe helado,   10
un hachazo invisible y homicida,
un empujón brutal te ha derribado.

No hay extensión más grande que mi herida,
lloro mi desventura y sus conjuntos
y siento más tu muerte que mi vida.   15

Ando sobre rastrojos de difuntos,
y sin calor de nadie y sin consuelo
voy de mi corazón a mis asuntos.

---

reconocer que Miguel es valiente a la hora de utilizar todo tipo de términos, incluso cuando pudieran verse como poco poéticos. El uso aquí del verbo *estercolar*
no sólo es oportuno, sino brillante. Puede deberse al influjo de Neruda, pero no
hay que menospreciar en versos puntuales la influencia de la elegía de Garcilaso
a Boscán, o la «Canción a la muerte de Carlos Félix», de Lope de Vega.

blicado, por Juan Ramón, Ortega y Marañón, entre otros escritores
del momento. Lo escribió muy pocos días después de la muerte de
Ramón Sijé —seudónimo de José Marín—, ocurrida el 24 de diciembre de 1935. Al parecer, ambos amigos habían jurado que cuando uno de ellos muriese, el otro debería cavar su tumba. Miguel no
pudo cumplir el pacto —si existió— porque, cuando llegó a Orihuela,
el amigo estaba ya enterrado. Véase C. Couffon, *Orihuela y Miguel Hernández,* Buenos Aires, Losada, 1967, p. 21.

Temprano levantó la muerte el vuelo,
temprano madrugó la madrugada,   20
temprano estás rodando por el suelo.

No perdono a la muerte enamorada,
no perdono a la vida desatenta,
no perdono a la tierra ni a la nada.

En mis manos levanto una tormenta   25
de piedras, rayos y hachas estridentes [228]
sedienta de catástrofes y hambrienta.

Quiero escarbar la tierra con los dientes,
quiero apartar la tierra parte a parte
a dentelladas secas y calientes.   30

Quiero minar la tierra hasta encontrarte
y besarte la noble calavera
y desamordazarte y regresarte.

Volverás a mi huerto y a mi higuera:
por los altos andamios de las flores   35
pajareará tu alma colmenera

de angelicales ceras y labores.
Volverás al arrullo de las rejas [229]
de los enamorados labradores.

Alegrarás la sombra de mis cejas,   40
y tu sangre se irán a cada lado
disputando tu novia [230] y las abejas.

---

[228] La furia del poeta es la furia de Zeus, dios del rayo y la tormenta.
[229] Las rejas de los arados, porque Miguel está efectuando una vuelta atrás:
su amigo regresará al añorado paraíso primero —Orihuela y sus campos— que
ambos compartían.   [230] Josefina Fenoll.

Tu corazón, ya terciopelo ajado,
llama a un campo de almendras espumosas
mi avariciosa voz de enamorado.   45

A las aladas almas de las rosas [231]
del almendro de nata te requiero,
que tenemos que hablar de muchas cosas,
compañero del alma, compañero.

10 de enero de 1936.

30

SONETO FINAL

Por desplumar arcángeles glaciales,
la nevada lilial [232] de esbeltos dientes
es condenada al llanto de las fuentes
y al desconsuelo de los manantiales.

Por difundir su alma en los metales,   5
por dar el fuego al hierro sus orientes,
al dolor de los yunques inclementes
lo arrastran los herreros torrenciales.

Al doloroso trato de la espina,
al fatal desaliento de la rosa   10
y a la acción corrosiva de la muerte [233]

arrojado me veo, y tanta ruina
no es por otra desgracia ni otra cosa
que por quererte y sólo por quererte.

---

[231] Obsérvese la alteración vocálica en base al fonema /a/.   [232] *nevada lilial:* los lirios.   [233] Después del llanto por Ramón Sijé en la elegía anterior, Miguel da fin a *El rayo que no cesa* con el tema de la muerte al fondo.

POEMAS SUELTOS, III

1

ELEGÍA [57]

*(En Orihuela, su pueblo y el mío, se ha
quedado novia por casar [234] la panadera
de pan más trabajado y fino, que le han
muerto la pareja del ya imposible esposo.)*

Tengo ya el alma ronca y tengo ronco
el gemido de música traidora...
Arrímate a llorar conmigo a un tronco:

retírate conmigo al campo y llora
a la sangrienta sombra de un granado   5.
desgarrado de amor como tú ahora.

---

[234] La novia por casar es Josefina Fenoll, hermana de los hermanos Fenoll,
en cuya panadería se reunía el grupo de jóvenes poetas y amantes de la poesía oriolanos.

(57) Dedicada a Josefina Fenoll, está en la línea de la escrita en
honor de Ramón Sijé.

Caen desde un cielo gris desconsolado,
caen ángeles cernidos para el trigo
sobre el invierno gris desocupado.

Arrímate, retírate conmigo: 10
vamos a celebrar nuestros dolores
junto al árbol del campo que te digo.

Panadera de espigas y de flores,
panadera lilial de piel de era,
panadera de panes y de amores.   15

No tienes ya en el mundo quien te quiera,
y ya tus desventuras y las mías
no tienen compañero, compañera.

Tórtola compañera de sus días,
que le dabas tus dedos cereales   20
y en su voz tu silencio entretenías.

Buscando abejas va por los panales
el silencio que ha muerto de repente
en su lengua de abejas torrenciales.

No esperes ver tu párpado caliente   25
ni tu cara dulcísima y morena
bajo los dos solsticios de su frente. [235]

El moribundo rostro de tu pena
se hiela y desendulza grado a grado
sin su labor de sol y de colmena.   30

---

[235] Sus ojos.

Como una buena fiebre iba a tu lado,
como un rayo dispuesto a ser herida,
como un lirio de olor precipitado.

Y sólo queda ya de tanta vida
un cadáver de cera desmayada   35
y un silencio de abeja detenida. [236]

¿Dónde tienes en esto la mirada
si no es descarriada por el suelo,
si no es por la mejilla trastornada?

Novia sin novio, novia sin consuelo,   40
te advierto entre barrancos y huracanes
tan extensa y tan sola como el cielo.

Corazón de relámpagos y afanes,
paginaba los libros de tus rosas,
apacentaba el hato de tus panes.   45

Ibas a ser la flor de las esposas,
y a pasos de relámpago tu esposo
se te va de las manos harinosas.

Échale, harina, un toro clamoroso
negro hasta cierto punto a tu menudo   50
vellón de lana blanco y silencioso.

A echar copos de harina yo te ayudo
y a sufrir por lo bajo, compañera,
viuda de cuerpo y de alma yo vïudo.

---

[236] Imagen que recuerda —por oposición— la garcilasiana «en el silencio
sólo se escuchaba / un susurro de abejas que sonaba».

La inaplacable muerte nos espera   55
como un agua incesante y malparida
a la vuelta de cada vidrïera.

¡Cuántos amargos tragos es la vida!
Bebió él la muerte y tú la saboreas
y yo no saboreo otra bebida.   60

Retírate conmigo hasta que veas
con nuestro llanto dar las piedras grama,
abandonando el pan que pastoreas.

Levántate: te esperan tus zapatos
junto a los suyos muertos en tu cama,   65
y la lluviosa pena en sus retratos
desde cuyos presidios te reclama.

2 (58)

SONREÍDME

Vengo muy satisfecho de librarme
de la serpiente de las múltiples cúpulas,
la serpiente escamada de casullas y cálices:
su cola puso acíbar en mi boca, sus anillos verdugos
reprimieron y malaventuraron la nudosa sangre de mi   5
                                        [corazón.
Vengo muy dolorido de aquel infierno de incensarios
                                        [locos,
de aquella boba gloria: sonreídme.

---

(58) Poema donde Miguel Hernández aborda la liberación de los
corsés de tipo religioso a que se había sentido sometido hasta entonces (1935). Texto donde surgen otra vez asuntos sociales.

Sonreídme, que voy
a donde estáis vosotros los de siempre,
los que cubrís de espigas y racimos la boca del que nos   10
[escupe,
los que conmigo en surcos, andamios, fraguas, hornos,
los arrancáis la corona del sudor a diario.

Me libré de los templos: sonreídme,
donde me consumía con tristeza de lámpara
encerrado en el poco aire de los sagrarios.   15
Salté al monte de donde procedo,
a las viñas donde halla tanta hermana mi sangre,
a vuestra compañía de relativo barro.

Agrupo mi hambre, mis penas y estas cicatrices
que llevo de tratar piedras y hachas   20
a vuestras hambres, vuestras penas y vuestra herrada
[carne, [237]
porque para calmar nuestra desesperación de toros
[castigados
habremos de agruparnos oceánicamente.

Nubes tempestuosas de herramientas
para un cielo de manos vengativas   25
nos es preciso. Ya relampaguean
las hachas y las hoces con su metal crispado,
ya truenan los martillos [238] y los mazos
sobre los pensamientos de los que nos han hecho
burros de carga y bueyes de labor.   30
Salta el capitalista de su cochino lujo,
huyen los arzobispos de sus mitras obscenas,

---

[237] *herrada:* marcada a hierro, como un animal, más concretamente, el toro, que aparece en el verso siguiente.   [238] Las hoces del verso anterior y estos martillos son los símbolos del marxismo y se reflejan en la iconografía.

los notarios y los registradores de la propiedad
caen aplastados bajo furiosos protocolos,
los curas se deciden a ser hombres   35
y abierta ya la jaula donde actúa de león
queda el oro en la más espantosa miseria.

En vuestros puños quiero ver rayos contrayéndose,
quiero ver a la cólera tirándoos de las cejas,
la cólera me nubla todas las cosas dentro del corazón   40
sintiendo el martillazo del hambre en el ombligo,
viendo a mi hermana helarse mientras lava la ropa,
viendo a mi madre siempre en ayuno forzoso,
viéndoos en este estado capaz de impacientar
a los mismos corderos que jamás se impacientan.   45

Habrá que ver la tierra estercolada
con las injustas sangres,
habrá que ver la media vuelta fiera de la hoz ajustándose
                                                [a las nucas,
habrá que verlo todo noblemente impasibles,
habrá que hacerlo todo sufriendo un poco menos de lo   50
                       [que ahora sufrimos bajo el hambre,
que nos hace alargar las inocentes manos animales
hacia el robo y el crimen salvadores.

3

ODA ENTRE ARENA Y PIEDRA
A VICENTE ALEIXANDRE [59]

Tu padre el mar te condenó a la tierra
dándote un asesino manotazo
que hizo llorar a los corales sangre.

(59) Compuso este poema tras la lectura de *La destrucción o el amor*,
de Vicente Aleixandre, que le supuso una auténtica conmoción. El

Las afectuosas arenas de pana torturada, [239]
siempre con sed y siempre silenciosas,   5
recibieron tu cuerpo con la herencia
de otro mar borrascoso dentro del corazón,
al mismo tiempo que una flor de conchas
deshojada de párpados y arrugada de siglos,
que hasta el nácar se arruga con el tiempo.   10

Lo primero que hiciste fue llorar en la costa,
donde soplando el agua hasta volverla iris polvoriento
tu padre se quedó despedazando su colérico amor
entre desesperados pataleos.

Abrupto amor del mar, que abruptas penas   15
provocó con su acción huracanada.
¿Dónde ir con tu sangre de mar exasperado,
con tu acento de mar y tu revuelta lengua clamorosa
de mar cuya ternura no comprenden las piedras?
¿Dónde? Y fuiste a la tierra.   20

Y las vacas sonaron su caracol abundante
pariendo con los cuernos clavados en los estercoleros.
Las colinas, los pechos femeninos
y algunos corazones solitarios
se hicieron emisarios de las islas.   25

---

[239] La imagen es una imitación de otras aleixandrinas de esa época, preñada de surrealismo.

poeta sevillano recordaba que Miguel le había escrito: «He visto su libro *La destrucción o el amor*, que acaba de aparecer [...] No me es posible adquirirlo [...] Yo le quedaría muy reconocido si pudiera Vd. proporcionarme un ejemplar [...]», *Los encuentros*, cit., p. 148.

La sandía, tronando de alegría,
se abrió en múltiples cráteres
de abotonado hielo ensangrentado.
Y los melones, mezcla
de arrope asible y nieve atemperada,   30
a dulces cabezadas se toparon.

Pero aquí, en este mundo que se resuelve en hoyos,
donde la sangre ha de contarse por parejas,
las pupilas por cuatro y el deseo por millares,
¿qué puede hacer tu sangre,   35
el castigo mayor que tu padre te impuso,
qué puede hacer tu corazón, engendro
de una ola y un sol tumultuosos?

Tiznarte y más tiznarte [240] con las cejas
y las miradas negras de las demás criaturas,   40
llevarte de huracán en huracanes
mordiéndote los codos de cólera amorosa.

Labranzas, siembras, podas
y las otras fatigas de la tierra;
serpientes que preparan una piel anual,   45
nardos que dan las gracias oliendo a quien los cuida,
selvas con animales de rizado marfil
que anudan su deseo por varios días,
tan diferentemente de los chivos
cuyo amor es ejemplo de relámpagos,   50
toros de corazón tan dilatado
que pueden refugiar un picador desperezándose,
piedras, Vicente, piedras, hasta rebeldes piedras
que sólo el sol de agosto logra hacer corazones,

---

[240] La expresión *tiznar* es recurrente en la obra hernandiana. Algunos críticos la han relacionado con coloquialismos de la zona murciano-alicantina.

hasta inhumanas piedras   55
te llevan al olvido de tu nación: la espuma.

Pero la cicatriz más dura y vieja
reverdece en herida al menor golpe.
La sal, la ardiente sal que presa en el salero
hace memoria de su vida de pájaro y columpio, [241]   60
llegando a casi líquida y azul en los días más húmedos;
sólo la sal, la siempre constelada,
te acuerda que naciste en un lecho de algas, marinero,
¡oh tú el más combatido por la tierra,
oh tú el más rodeado de erizados rastrojos!,   65
cuando toca tu lengua su astral polen.

Te recorre el Océano los huesos
relampagueando perdurablemente,
tu corazón se enjoya con peces y naufragios,
y con coral, retrato del esqueleto de tu corazón,   70
y el agua en plenilunio con alma de tronada
te sube por la sangre a la cabeza como un vino con alas
y desemboca, ya serena, por tus ojos.

Tu padre el mar te busca arrepentido
de haberte desterrado de su flotante corazón crispado,   75
el más hermoso imperio de la luna,
cada vez más amargo.
Un día ha de venir detrás de cualquier río
de esos que lo combaten insuficientemente,
arrebatando huevos a las águilas [242]   80
y azúcar al panal que volverá salobre,
a desfilar desde tu boca atribulada
hasta tu pecho, ciudad de las estrellas.

---

[241] El columpio de la jaula.   [242] Una alusión a la fábula «La águila y el es-
carabajo», de Samaniego.

Y al fin serás objeto de esa espuma
que tanto te lastima idolatrarla.   85

4

ME SOBRA EL CORAZÓN [(60)]

Hoy estoy sin saber yo no sé cómo,
hoy estoy para penas solamente,
hoy no tengo amistad,
hoy sólo tengo ansias
de arrancarme de cuajo el corazón   5
y ponerlo debajo de un zapato. [243]

Hoy reverdece aquella espina seca,
hoy es día de llantos de mi reino,
hoy descarga en mi pecho el desaliento
plomo desalentado.   10

No puedo con mi estrella.
Y me busco la muerte por las manos
mirando con cariño las navajas,
y recuerdo aquel hacha compañera,
y pienso en los más altos campanarios   15
para un salto mortal serenadamente. [244]
Si no fuera ¿por qué?... no sé por qué,
mi corazón escribiría una postrera carta,

---

[243] La imagen estaba en poemas anteriores. Ver notas 205 y 192.   [244] La profunda depresión en que ha caído el poeta le hace plantearse la posibilidad del suicidio.

(60) Poema con el tema recurrente, en esta época, de la muerte.

una carta que llevo allí metida,
haría un tintero de mi corazón,   20
una fuente de sílabas, de adioses y regalos,
y *ahí te quedas,* al mundo le diría.

Yo nací en mala luna.
Tengo la pena de una sola pena
que vale más que toda la alegría.   25

Un amor me ha dejado con los brazos caídos [245]
y no puedo tenderlos hacia más.
¿No veis mi boca qué desengañada,
qué inconformes mis ojos?

Cuanto más me contemplo más me aflijo: 30
cortar este dolor ¿con qué tijeras?

Ayer, mañana, hoy
padeciendo por todo
mi corazón, pecera melancólica,
penal de ruiseñores moribundos.   35

Me sobra corazón.

Hoy descorazonarme,
yo el más corazonado de los hombres,
y por el más, también el más amargo.

---

[245] Esta disposición anímica es sin duda producto de su ruptura temporal (1935) con Josefina Manresa, que sobre aquel período ha expresado: «Me decía en sus cartas cosas que a mí no me gustaban, y yo no le contestaba a ellas. Yo, a pesar de todo, tampoco estaba dispuesta a aguantar y deseaba terminar con esa situación. [...] Estuvimos seis meses disgustados [...] por otra parte, como yo le quería y sabía que él me había querido, confiaba en su vuelta», ob. cit., p. 16.

No sé por qué, no sé por qué ni cómo [246]   40
me perdono la vida cada día.

5

MI SANGRE ES UN CAMINO [(61)]

Me empuja a martillazos y a mordiscos,
me tira con bramidos y cordeles
del corazón, del pie, de los orígenes,
me clava en la garganta garfios dulces,
erizo entre mis dedos y mis ojos,   5
enloquece mis uñas y mis párpados,
rodea mis palabras y mi alcoba
de hornos y herrerías,
la dirección altera de mi lengua,
y sembrando de cera su camino   10
hace que caiga torpe y derretida.

Mujer, mira una sangre,
mira una blusa de azafrán en celo,
mira un capote líquido ciñéndose a mis huesos
como descomunales serpientes que me oprimen   15
acarreando angustia por mis venas.

Mira una fuente alzada de amorosos collares
y cencerros de voz atribulada

---

[246] Obsérvese la construcción del verso, donde sólo aparece un término bisílabo: *cómo;* los demás son monosílabos.

(61) Al parecer, el poema surge tras un accidente que sufrió Miguel en agosto o septiembre de 1935.

temblando de impaciencia por ocupar tu cuello,
un dictamen feroz, una sentencia,   20
una exigencia, una dolencia, un río
que por manifestarse se da contra las piedras,
y penden para siempre de mis
relicarios de carne desgarrada.

Mírala con sus chivos y sus toros suicidas   25
corneando cabestros y montañas,
rompiéndose los cuernos a topazos,
mordiéndose de rabia las orejas,
buscándose la muerte de la frente a la cola.

Manejando mi sangre enarbolando   30
revoluciones de carbón y yodo
agrupado hasta hacerse corazón,
herramientas de muerte, rayos, hachas,
y barrancos de espuma sin apoyo,
ando pidiendo un cuerpo que manchar.   35

Hazte cargo, hazte cargo
de una ganadería de alacranes
tan rencorosamente enamorados,
de un castigo infinito que me parió y me agobia
como un jornal cobrado en triste plomo.   40

La puerta de mi sangre está en la esquina
del hacha y de la piedra,
pero en ti está la entrada irremediable.

Necesito extender este imperioso reino,
prolongar a mis padres hasta la eternidad,   45
y tiendo hacia ti un puente de arqueados corazones
que ya se corrompieron y que aún laten.

6

AL QUE SE VA

Partir es un asunto dolorido
como morir: al muerto y al ausente
ni la fotografía más ferviente
ni las cartas los sacan del olvido.

Te irás del todo tú que ya te has ido   5
con decir que te vas tan solamente,
y a cada sol te llevará mi frente
con más obstinación descolorido.

En la agonía de la despedida
como un pañuelo el corazón sacudo [247]   10
y lo lleno de angustia como un puerto.

Silencio y muerte veo en la partida:
si no me has de escribir te doy por mudo
y si no has de volver te doy por muerto.

---

[247] La comparación, de tintes surrealistas, resulta de una gran plasticidad.

VIENTO DEL PUEBLO

1

VIENTOS DEL PUEBLO ME LLEVAN [62]

Vientos del pueblo me llevan,
vientos del pueblo me arrastran,
me esparcen el corazón
y me aventan la garganta.

Los bueyes doblan la frente,   5
impotentemente mansa,
delante de los castigos:
los leones la levantan
y al mismo tiempo castigan
con su clamorosa zarpa.   10

No soy de un pueblo de bueyes,
que soy de un pueblo que embargan

---

(62) Todo el poema, advierte Juan Cano Ballesta, está construido sobre dos tipos de símbolos: unos que encarnan la cobardía y sumisión (bueyes), y otros que se convierten en imagen primigenia de los más altos valores del coraje y la arrogancia que exige la guerra (toros, leones, águilas, huracán, rayo, animal varón, etc.).

yacimientos de leones,
desfiladeros de águilas
y cordilleras de toros   15
con el orgullo en el asta.
Nunca medraron los bueyes
en los páramos de España.
¿Quién habló de echar un yugo
sobre el cuello de esta raza?   20
¿Quién ha puesto al huracán
jamás ni yugos ni trabas,
ni quién al rayo detuvo
prisionero en una jaula?

Asturianos de braveza,   25
vascos de piedra blindada,
valencianos de alegría
y castellanos de alma,
labrados como la tierra
y airosos como las alas;   30
andaluces de relámpagos,
nacidos entre guitarras
y forjados en los yunques
torrenciales de las lágrimas;
extremeños de centeno,   35
gallegos de lluvia y calma,
catalanes de firmeza,
aragoneses de casta,
murcianos de dinamita
frutalmente propagada,   40
leoneses, navarros, [248] dueños
del hambre, el sudor y el hacha,

---

[248] La larga enumeración de las virtudes de todos los pueblos que configuran España es propia de la literatura popular y resulta un tanto tópica, pero tiene como fin aunarlos a todos en una misma virtud: el valor.

reyes de la minería,
señores de la labranza,
hombres que entre las raíces,   45
como raíces gallardas,
vais de la vida a la muerte,
vais de la nada a la nada:
yugos os quieren poner
gentes de la hierba mala,   50
yugos que habéis de dejar
rotos sobre sus espaldas.
Crepúsculo de los bueyes
está despuntando el alba.

Los bueyes mueren vestidos   55
de humildad y olor de cuadra:
las águilas, los leones
y los toros de arrogancia,
y detrás de ellos, el cielo
ni se enturbia ni se acaba.   60
La agonía de los bueyes
tiene pequeña la cara,
la del animal varón
toda la creación agranda.

Si me muero, que me muera   65
con la cabeza muy alta.
Muerto y veinte veces muerto,
la boca contra la grama,
tendré apretados los dientes
y decidida la barba.   70

Cantando espero a la muerte, [249]
que hay ruiseñores que cantan

---

[249] El claro tono alocutivo del poema no oculta que Hernández pasara por fases de duda y desconfianza.

encima de los fusiles
y en medio de las batallas.

2

EL NIÑO YUNTERO [63]

Carne de yugo, ha nacido
más humillado que bello,
con el cuello perseguido
por el yugo para el cuello.

Nace, como la herramienta,   5
a los golpes destinado,
de una tierra descontenta
y un insatisfecho arado.

Entre estiércol puro y vivo
de vacas, trae a la vida   10
un alma color de olivo
vieja ya y encallecida.

Empieza a vivir, y empieza
a morir de punta a punta [250]
levantando la corteza   15
de su madre con la yunta.

---

[250] Hay ecos en estos y otros versos del poema de Quevedo y el tema *cotidie morimur*.

(63) El poema contó con una versión original en endecasílabos y heptasílabos. Pero es evidente que buena parte de su fuerza y de su garra se basa en la configuración en redondillas de sabor popular. Es uno de los poemas donde, según la crítica, se advierte la *dualidad anti-*

Empieza a sentir, y siente
la vida como una guerra,
y a dar fatigosamente
en los huesos de la tierra.   20

Contar sus años no sabe,
y ya sabe que el sudor
es una corona grave
de sal para el labrador.

Trabaja, y mientras trabaja   25
masculinamente serio,
se unge de lluvia y se alhaja
de carne de cementerio.

A fuerza de golpes, fuerte,
y a fuerza de sol, bruñido,   30
con una ambición de muerte
despedaza un pan reñido.

Cada nuevo día es
más raíz, menos criatura,
que escucha bajo sus pies   35
la voz de la sepultura.

Y como raíz se hunde
en la tierra lentamente
para que la tierra inunde
de paz y panes su frente.   40

---

tética paralela. Por ejemplo, en el título, donde se oponen *niño,* en su fragilidad e inocencia, a *yuntero,* en toda su rudeza, derivada de un trabajo esclavizador.

Me duele este niño hambriento [251]
como una grandiosa espina,
y su vivir ceniciento
revuelve mi alma de encina.

Lo veo arar los rastrojos,   45
y devorar un mendrugo,
y declarar con los ojos
que por qué es carne de yugo.

Me da su arado en el pecho,
y su vida en la garganta,   50
y sufro viendo el barbecho
tan grande bajo su planta.

¿Quién salvará este chiquillo
menor que un grano de avena? [252]
¿De dónde saldrá el martillo   55
verdugo de esta cadena?

Que salga del corazón
de los hombres jornaleros,
que antes de ser hombres son
y han sido niños yunteros.   60

---

[251] La intromisión del poeta en el texto produce una sensación de acentuado lirismo. El poeta hace suyo el dolor del niño-labrador que padece las consecuencias de la guerra.   [252] La hipérbole *menor que un grano de avena* dota a la imagen del niño-yuntero de mayor dramatismo: se ceba en un ser insignificante una carga de dolor excesiva para sus años y sus fuerzas.

3

RECOGED ESTA VOZ [64]

I

Naciones de la tierra, patrias del mar, hermanos
del mundo y de la nada:
habitantes perdidos y lejanos
más que del corazón, de la mirada.

Aquí tengo una voz enardecida,   5
aquí tengo una vida combatida y airada,
aquí tengo un rumor, aquí tengo una vida.

Abierto estoy, mirad, como una herida.
Hundido estoy, mirad, estoy hundido
en medio de mi pueblo y de sus males.   10
Herido voy, herido y malherido,
sangrando por trincheras y hospitales.

Hombres, mundos, naciones,
atended, escuchad mi sangrante sonido,
recoged mis latidos de quebranto   15
en vuestros espaciosos corazones,
porque yo empuño el alma [253] cuando canto.

---

[253] Adviértase la proximidad fonética *alma-arma*. De un posible empuñar el *arma* Miguel deriva a un empuñar el *alma*. El término *armas* tendrá cabida —el poeta es consciente de lo que escribe— en el verso 25.

(64) El poema fue publicado en *Nueva Cultura*, núm. 1, en marzo de 1937. Lo escribió el 15 de enero de ese mismo año. Darío Puccini

Cantando me defiendo
y defiendo mi pueblo cuando en mi pueblo imprimen
su herradura de pólvora y estruendo   20
los bárbaros del crimen.

Ésta es su obra, ésta:
pasan, arrasan como torbellinos,
y son ante su cólera funesta
armas los horizontes y muerte los caminos.   25

El llanto que por valles y balcones se vierte,
en las piedras diluvia y en las piedras trabaja,
y no hay espacio para tanta muerte,
y no hay madera para tanta caja.

Caravanas de cuerpos abatidos.   30
Todo vendajes, penas y pañuelos:
todo camillas donde a los heridos
se les quiebran las fuerzas y los vuelos.

Sangre, sangre por árboles y suelos,
sangre por aguas, sangre por paredes,   35
y un temor de que España se desplome
del peso de la sangre que moja entre sus redes
hasta el pan que se come.

Recoged este viento,
naciones, hombres, mundos,   40
que parte de las bocas de conmovido aliento
y de los hospitales moribundos.

~~~~~~

encuentra dos partes en este texto épico: una elegía a España desgarrada, y un himno a la juventud española.

Aplicad las orejas
a mi clamor de pueblo atropellado,
al ¡ay! de tantas madres, a las quejas 45
de tanto ser luciente que el luto ha devorado.

Los pechos que empujaban y herían las montañas,
vedlos desfallecidos sin leche ni hermosura,
y ved las blancas novias y las negras pestañas [254]
caídas y sumidas en una siesta oscura. 50

Aplicad la pasión de las entrañas
a este pueblo que muere con un gesto invencible
sembrado por los labios y la frente,
bajo los implacables aeroplanos
que arrebatan terrible, 55
terrible, ignominiosa, diariamente,
a las madres los hijos de las manos.

Ciudades de trabajo y de inocencia,
juventudes que brotan de la encina,
troncos de bronce, cuerpos de potencia 60
yacen precipitados en la ruina.

Un porvenir de polvo se avecina,
se avecina un suceso
en que no quedará ninguna cosa:
ni piedra sobre piedra [255] ni hueso sobre hueso. 65

España no es España, que es una inmensa fosa,
que es un gran cementerio rojo y bombardeado:
los bárbaros la quieren de este modo.

---

[254] Obsérvese la antítesis entre los dos elementos fundamentales del verso: *blancas novias / negras pestañas*. [255] Clara alusión bíblica que toma la destrucción de Jerusalén como motivo.

Será la tierra un denso corazón desolado,
si vosotros, naciones, hombres, mundos,   70
con mi pueblo del todo
y vuestro pueblo encima del costado,
no quebráis los colmillos iracundos. [256]

II

Pero no lo será: que un mar piafante, [257]
triunfante siempre, siempre decidido,   75
hecho para la luz, para la hazaña,
agita su cabeza de rebelde diamante,
bate su pie calzado en el sonido
por todos los cadáveres de España.

Es una juventud: recoged este viento.   80
Su sangre es el cristal que no se empaña,
su sombrero el laurel y el pedernal su aliento.

Donde clava la fuerza de sus dientes [258]
brota un volcán de diáfanas espadas,
y sus hombros batientes,   85
y sus talones guían llamaradas.

Está compuesta de hombres del trabajo:
de herreros rojos, de albos albañiles,
de yunteros con rostro de cosechas.

---

[256] La crítica divide su opinión sobre estos versos últimos de la primera parte del texto. Hay quien observa en ellos la acción falsificadora de la propaganda, mientras que otros prefieren contemplar una visión esperanzadora hacia el futuro.   [257] *piafante:* intranquilo. *Piafar:* dar patadas o rascar el suelo con las manos el caballo cuando está parado e inquieto.   [258] Recuérdese la expresiva imagen «Quiero escarbar la tierra con los dientes» de la «Elegía a Ramón Sijé» (verso 28), que parece latente aquí.

Oceánicamente transcurren por debajo   90
de un fragor de sirenas y herramientas fabriles
y de gigantes arcos alumbrados con flechas.

A pesar de la muerte, estos varones
con metal y relámpagos igual que los escudos,
hacen retroceder a los cañones   95
acobardados, temblorosos, mudos.

El polvo no los puede y hacen del polvo fuego,
savia, explosión, verdura repentina:
con su poder de abril apasionado
precipitan el alma del espliego, [259]   100
el parto de la mina,
el fértil movimiento del arado.

Ellos harán de cada ruina un prado,
de cada pena un fruto de alegría,
de España un firmamento de hermosura.   105
Vedlos agigantar el mediodía
y hermosearlo todo con su joven bravura.

Se merecen la espuma de los truenos,
se merecen la vida y el olor del olivo,
los españoles amplios y serenos   110
que mueven la mirada como un pájaro altivo.

Naciones, hombres, mundos, esto escribo:
la juventud de España saldrá de las trincheras
de pie, invencible como la semilla,
pues tiene un alma llena de banderas   115
que jamás se somete ni arrodilla.

---

[259] *espliego:* planta labiada con flores azuladas en espiga, que se usa en per-
fumería y, tiempo atrás, como sahumerio.

Allá van por los yermos de Castilla
los cuerpos que parecen potros batalladores,
toros de victorioso desenlace,
diciéndose en su sangre de generosas flores   120
que morir es la cosa más grande que se hace.

Quedarán en el tiempo vencedores,
siempre de sol y majestad cubiertos,
los guerreros de huesos tan gallardos
que si son muertos son gallardos muertos: 125
la juventud que a España salvará, aunque tuviera
que combatir con un fusil de nardos
y una espada de cera. [260]

4

ROSARIO, DINAMITERA [(65)]

Rosario, dinamitera,
sobre tu mano bonita
celaba la dinamita

---

[260] *fusil de nardos; espada de cera:* imágenes que engrandecen el valor de los jóvenes a quienes canta.

(65) Poema en honor de Rosario Sánchez Mora, que se auto-
denominaba «La Chacha» porque, procediendo de los alrededores
de Madrid, era una chica de campo que había entrado a servir en
la capital. Ella misma confesó en una entrevista concedida a Shirley
Mangini en 1986: «Hacía las tareas de la casa; no me pagaban, pero en cambio por mi trabajo me mandaban a una escuela de costura.» Lógicamente se sintió halagada por este poema. Encarnó como
pocas la figura de la miliciana, luchando en las trincheras cuando sólo tenía 17 años.

sus atributos de fiera.
Nadie al mirarla creyera   5
que había en su corazón
una desesperación,
de cristales, de metralla
ansiosa de una batalla,
sedienta de una explosión.   10

Era tu mano derecha, [261]
capaz de fundir leones,
la flor de las municiones
y el anhelo de la mecha.
Rosario, buena cosecha,   15
alta como un campanario,
sembrabas al adversario
de dinamita furiosa
y era tu mano una rosa
enfurecida, Rosario.   20

Buitrago ha sido testigo
de la condición de rayo
de las hazañas que callo
y de la mano que digo.
¡Bien conoció el enemigo   25
la mano de esta doncella,
que hoy no es mano porque de ella,
que ni un solo dedo agita,
se prendó la dinamita
y la convirtió en estrella!   30

Rosario, dinamitera,
puedes ser varón y eres

---

[261] Rosario había perdido la mano derecha, y los oficiales republicanos solían discutir sobre si debía mostrar su manquera con orgullo o debía escon-
derla bajo alguna prenda de vestir.

la nata de las mujeres,
la espuma de la trinchera.
Digna como una bandera   35
de triunfos y resplandores,
dinamiteros pastores,
vedla agitando su aliento
y dad las bombas al viento
del alma de los traidores.   40

5

JORNALEROS [66]

Jornaleros que habéis cobrado en plomo
sufrimientos, trabajos y dineros.
Cuerpos de sometido y alto lomo:
jornaleros.

Españoles que España habéis ganado   5
labrándola entre lluvias y entre soles.
Rabadanes del hambre y el arado:
españoles.

Esta España que, nunca satisfecha
de malograr la flor de la cizaña,   10
de una cosecha pasa a otra cosecha:
esta España.

Poderoso homenaje a las encinas,
homenaje del toro y el coloso,

(66) Hernández compuso este poema en Madrid el 14 de febrero de 1937. Es un texto de arenga a los españoles de su bando para que se esfuercen en la lucha.

homenaje de páramos y minas   15
poderoso.

Esta España que habéis amamantado
con sudores y empujes de montaña,
codician los que nunca han cultivado
esta España.   20

¿Dejaremos llevar cobardemente
riquezas que han forjado nuestros remos?
¿Campos que ha humedecido nuestra frente
dejaremos?

Adelanta, español, una tormenta   25
de martillos y hoces: [262] ruge y canta.
Tu porvenir, tu orgullo, tu herramienta
adelanta.

Los verdugos, ejemplo de tiranos,
Hitler y Mussolini labran yugos.   30
Sumid en un retrete de gusanos
los verdugos.

Ellos, ellos nos traen una cadena
de cárceles, miserias y atropellos.
¿Quién España destruye y desordena?   35
¡Ellos! ¡Ellos!

Fuera, fuera, ladrones de naciones,
guardianes de la cúpula banquera,

---

[262] Véase la nota 238.

cluecas del capital y sus doblones:
¡fuera, fuera! [263]   40

Arrojados seréis como basura
de todas partes y de todos lados.
No habrá para vosotros sepultura,
arrojados.

La saliva será vuestra mortaja,   45
vuestro final la bota vengativa,
y sólo os dará sombra, paz y caja
la saliva.

Jornaleros: España, loma a loma,
es de gañanes, pobres y braceros.   50
¡No permitáis que el rico se la coma,
jornaleros!

6

AL SOLDADO INTERNACIONAL CAÍDO EN ESPAÑA [(67)]

Si hay hombres que contienen un alma sin fronteras,
una esparcida frente de mundiales cabellos,

---

[263] Cuando el poema se publicó en *La Voz del Combatiente* (núm. 56, 25/2/37), incluía en este punto una estrofa que luego Hernández desechó sin duda por cuestiones de gusto: «Poned Papas en vuestros vaticanos, / ya que no huevos llenos de gualdrapas, / y encima de la flor de vuestros años / poned papas.»

(67) El soneto, en versos alejandrinos, supone un reconocimiento a los extranjeros que combatieron con los milicianos republicanos españoles. También Alberti cantó «A las Brigadas Internacionales», si bien en cuatro serventesios alejandrinos.

cubierta de horizontes, barcos y cordilleras,
con arena y con nieve, tú eres uno de aquéllos.

Las patrias te llamaron con todas sus banderas,   5
que tu aliento llenara de movimientos bellos.
Quisiste apaciguar la sed de las panteras,
y flameaste henchido contra sus atropellos.

Con un sabor a todos los soles y los mares,
España te recoge porque en ella realices   10
tu majestad de árbol que abarca un continente.

A través de tus huesos irán los olivares
desplegando en la tierra sus más férreas raíces,
abrazando a los hombres universal, fielmente.

7

ACEITUNEROS [68]

Andaluces de Jaén,
aceituneros altivos,
decidme en el alma: ¿quién,
quién levantó los olivos?

No los levantó la nada,   5
ni el dinero, ni el señor,

---

(68) El poema, en cuartetas aconsonantadas, se publicó por primera vez en *Frente Sur,* núm. 1. Lo escribió en Jaén el 2 de marzo de 1937. Supone un canto a la labor humilde y humillada de los aceituneros, a quienes, parece, ha llegado ya su futuro mejor. Todo el texto, con sus continuos interrogantes, va interpelando al lector, cuya respuesta solicita. El texto ha sido musicado en varias ocasiones, últimamente por el grupo Jarcha y por el cantante Paco Ibáñez.

sino la tierra callada,
el trabajo y el sudor.

Unidos al agua pura
y a los planetas unidos,   10
los tres dieron la hermosura
de los troncos retorcidos.

Levántate, olivo cano,
dijeron al pie del viento.
Y el olivo alzó una mano   15
poderosa de cimiento.

Andaluces de Jaén,
aceituneros altivos,
decidme en el alma: ¿quién
amamantó los olivos?   20

Vuestra sangre, vuestra vida,
no la del explotador
que se enriqueció en la herida
generosa del sudor.

No la del terrateniente   25
que os sepultó en la pobreza,
que os pisoteó la frente,
que os redujo la cabeza.

Árboles que vuestro afán
consagró al centro del día   30
eran principio de un pan
que sólo el otro comía.

¡Cuántos siglos de aceituna,
los pies y las manos presos,
sol a sol y luna a luna,   35
pesan sobre vuestros huesos!

Andaluces de Jaén,
aceituneros altivos,
pregunta mi alma: ¿de quién,
de quién son estos olivos?   40

Jaén, levántate brava
sobre tus piedras lunares,
no vayas a ser esclava
con todos tus olivares.

Dentro de la claridad   45
del aceite y sus aromas,
indican tu libertad
la libertad de tus lomas.

8

LAS MANOS [69]

Dos especies de manos se enfrentan en la vida,
brotan del corazón, irrumpen por los brazos,
saltan, y desembocan sobre la luz herida
a golpes, a zarpazos.

La mano es la herramienta [264] del alma, su mensaje,   5
y el cuerpo tiene en ella su rama [265] combatiente.

---

[264] Obsérvese el procedimiento de cosificación *mano* = herramienta del alma. [265] El proceso de arborización *mano* = rama.

(69) Miguel compuso el poema el 15 de febrero de 1937, y lo publicó en *Ayuda, Semanario de la solidaridad,* núm. 47, el 20 de marzo siguiente.

Alzad, moved las manos en un gran oleaje,
hombres de mi simiente.

Ante la aurora veo surgir las manos puras
de los trabajadores terrestres y marinos,   10
como una primavera de alegres dentaduras,
de dedos matutinos.

Endurecidamente pobladas de sudores,
retumbantes las venas desde las uñas rotas,
constelan los espacios de andamios y clamores,   15
relámpagos y gotas.

Conducen herrerías, azadas y telares,
muerden metales, montes, raptan hachas, encinas,
y construyen, si quieren, hasta en los mismos mares
fábricas, pueblos, minas.   20

Estas sonoras manos oscuras y lucientes
las reviste una piel de invencible corteza,
y son inagotables y generosas fuentes
de vida y de riqueza.

Como si con los astros el polvo peleara,   25
como si los planetas lucharan con gusanos,
la especie de las manos trabajadora y clara
lucha con otras manos.

Feroces y reunidas en un bando sangriento,
avanzan al hundirse los cielos vespertinos   30
unas manos de hueso lívido y avariento,
paisaje de asesinos.

No han sonado: no cantan. Sus dedos vagan roncos,
mudamente aletean, se ciernen, se propagan.

Ni tejieron la pana, ni mecieron los troncos,   35
y blandas de ocio vagan.

Empuñan crucifijos y acaparan tesoros
que a nadie corresponden sino a quien los labora,
y sus mudos crepúsculos absorben los sonoros
caudales de la aurora.   40

Orgullo de puñales, arma de bombardeos
con un cáliz, un crimen y un muerto en cada uña:
ejecutoras pálidas de los negros deseos
que la avaricia empuña.

¿Quién lavará estas manos fangosas que se extienden   45
al agua y la deshonran, enrojecen y estragan?
Nadie lavará manos que en el puñal se encienden
y en el amor se apagan.

Las laboriosas manos de los trabajadores
caerán sobre vosotras con dientes y cuchillas.   50
Y las verán cortadas tantos explotadores
en sus mismas rodillas.

9

PRIMERO DE MAYO DE 1937 [70]

No sé qué sepultada artillería
dispara desde abajo los claveles,
ni qué caballería
cruza tronando y hace que huelan los laureles.

---

(70) El 1.º de mayo supone el triunfo de las clases trabajadoras.
Por ello la naturaleza —vegetal y animal— cobra nuevas fuerzas.

Sementales corceles,   5
toros emocionados,
como una fundición de bronce y hierro,
surgen tras una crin de todos lados,
tras un rendido y pálido cencerro.

Mayo los animales pone airados: 10
la guerra más se aíra,
y detrás de las armas los arados
braman, hierven las flores, el sol gira.
Hasta el cadáver secular delira.

Los trabajos de mayo: 15
escala su cenit la agricultura.

Aparece la hoz igual que un rayo
inacabable en una mano oscura.

A pesar de la guerra delirante,
no amordazan los picos sus canciones,   20
y el rosal da su olor emocionante
porque el rosal no teme a los cañones.

Mayo es hoy más colérico y potente:
lo alimenta la sangre derramada,
la juventud que convirtió en torrente   25
su ejecución de lumbre entrelazada.

Deseo a España un mayo ejecutivo,
vestido con la eterna plenitud de la era.
El primer árbol es su abierto olivo
y no va a ser su sangre la postrera.   30

La España que hoy no se ara, se arará toda entera.

10

CANCIÓN DEL ESPOSO SOLDADO

He poblado tu vientre de amor y sementera, [266]
he prolongado el eco de sangre a que respondo
y espero sobre el surco como el arado espera:
he llegado hasta el fondo.

Moreno de altas torres, alta luz y ojos altos,⠀⠀⠀⠀⠀⠀⠀⠀5
esposa de mi piel, gran trago de mi vida,
tus pechos locos crecen hacia mí dando saltos
de cierva concebida.

Ya me parece que eres un cristal delicado,
temo que te me rompas al más leve tropiezo,⠀⠀⠀⠀10
y a reforzar tus venas con mi piel de soldado
fuera como el cerezo.

Espejo de mi carne, sustento de mis alas, [267]
te doy vida en la muerte que me dan y no tomo.
Mujer, mujer, te quiero cercado por las balas,⠀⠀⠀15
ansiado por el plomo.

Sobre los ataúdes feroces en acecho,
sobre los mismos muertos sin remedio y sin fosa
te quiero, y te quisiera besar con todo el pecho
hasta en el polvo, esposa.⠀⠀⠀⠀⠀⠀⠀⠀⠀⠀⠀⠀⠀⠀⠀20

---

[266] Por eso el poema, publicado el 10 de junio de 1937, fue dedicado a
Josefina y a su primer hijo —Manuel Ramón—, aún en el vientre materno.
[267] El poeta ha consumado ya su amor y sabe que en el vientre de la esposa
late el hijo. Son una misma carne, su gozo es pleno, desbordante. Ahora es
capaz de cualquier cosa por ella y por el fruto de su entraña; incluso, como
advierte en el verso 33, «matar para seguir viviendo».

Cuando junto a los campos de combate te piensa
mi frente que no enfría ni aplaca tu figura,
te acercas hacia mí como una boca inmensa
de hambrienta dentadura.

Escríbeme a la lucha, siénteme en la trinchera: 25
aquí con el fusil tu nombre evoco y fijo,
y defiendo tu vientre de pobre que me espera,
y defiendo tu hijo.

Nacerá nuestro hijo con el puño cerrado,
envuelto en un clamor de victoria y guitarras,   30
y dejaré a tu puerta mi vida de soldado
sin colmillos ni garras.

Es preciso matar para seguir viviendo.
Un día iré a la sombra de tu pelo lejano,
y dormiré en la sábana de almidón y de estruendo   35
cosida por tu mano.

Tus piernas implacables al parto van derechas,
y tu implacable boca de labios indomables,
y ante mi soledad de explosiones y brechas
recorres un camino de besos implacables.   40

Para el hijo será la paz que estoy forjando.
Y al fin en un océano de irremediables huesos
tu corazón y el mío naufragarán, quedando
una mujer y un hombre gastados por los besos.

11

PASIONARIA [71]

Moriré como el pájaro: cantando, [268]
penetrado de plumas y entereza,
sobre la duradera claridad de las cosas.
Cantando ha de cogerme el hoyo blando, [269]
tendida el alma, vuelta la cabeza   5
hacia las hermosuras más hermosas.

Una mujer que es una estepa sola
habitada de aceros y criaturas,
sube de espuma y atraviesa de ola
por este municipio de hermosuras.   10

Dan ganas de besar los pies y la sonrisa
a esta herida española,
y aquel gesto que lleva de nación enlutada,

---

[268] El verso tiene un claro antecedente juanramoniano.   [269] Obsérvese la rima en eco *cantando: blando.*

(71) El poema es un panegírico de Dolores Ibárruri, «La Pasionaria», a quien eleva a la categoría de mito. Dolores «había nacido en 1895 [murió en 1989] en la zona minera del País Vasco, en el seno de una familia pobre de once hermanas, y tuvo muy poca educación académica —aunque fue más privilegiada que sus paisanas, ya que logró quedarse en la escuela hasta cumplir quince años—. Aspiraba a ser maestra pero, como tantas otras mujeres de esta región pobre, se vio obligada a trabajar cuando la penuria empezó a agobiar a su familia [...] Emergió como una gran figura materna, un tipo de "telúrica madre de guerra", que llevó el mensaje oficial del Partido Comunista

y aquella tierra que de pronto pisa
como si contuviera la tierra en la pisada.   15

Fuego la enciende, fuego la alimenta:
fuego que crece, quema y apasiona
desde el almendro en flor de su osamenta.
A sus pies, la ceniza más helada se encona.

Vasca de generosos yacimientos: 20
encina, piedra, vida, hierba noble,
naciste para dar dirección a los vientos,
naciste para ser esposa de algún roble.

Sólo los montes pueden sostenerte
grabada estás en tronco sensitivo,   25
esculpida en el sol de los viñedos.
El minero descubre por oírte y por verte
las sordas galerías del mineral cautivo,
y a través de la tierra las lleva hasta tus dedos.

Tus dedos y tus uñas fulgen como carbones,   30
amenazando fuego hasta a los astros
porque en mitad de la palabra pones
una sangre que deja fósforo entre sus rastros.

Claman tus brazos que hacen hasta espuma
al chocar contra el viento: 35
se desbordan tu pecho y tus arterias
porque tanta maleza se consuma,

para inspirar a las masas y a las tropas», Shirley Mangini, *Recuerdos de la resistencia*, Barcelona, Península, 1997, p. 49. También la cantaron Alberti, Nicolás Guillén, Neruda, etc.

porque tanto tormento,
porque tantas miserias. [270]

Los herreros te cantan al son de la herrería,   40
Pasionaria el pastor escribe en la cayada
y el pescador a besos te dibuja en las velas.

Oscuro el mediodía,
la mujer redimida y agrandada,
naufragadas y heridas las gacelas   45
se reconocen al fulgor que envía
tu voz incandescente, manantial de candelas.

Quemando con el fuego de la cal abrasada,
hablando con la boca de los pozos mineros,
mujer, España, madre en infinito,   50
eres capaz de producir luceros,
eres capaz de arder de un solo grito.
Pierden maldad y sombra tigres y carceleros.

Por tu voz habla España la de las cordilleras,
la de los brazos pobres y explotados,   55
crecen los héroes llenos de palmeras
y mueren saludándote pilotos y soldados.

Oyéndote batir como cubierta
de meridianos, yunques y cigarras,
el varón español sale a su puerta   60
a sufrir recorriendo llanuras de guitarras.

Ardiendo quedarás enardecida
sobre el arco nublado del olvido,

---

[270] Hay que destacar en este y en el verso anterior las elusiones: *desaparezca*
el tormento y *desaparezcan* las miserias.

sobre el tiempo que teme sobrepasar tu vida
y toca como un ciego, bajo un puente   65
de ceño envejecido,
un violín lastimado e impotente.

Tu cincelada fuerza lucirá eternamente,
fogosamente plena de destellos.
Y aquel que de la cárcel fue mordido   70
terminará su llanto en tus cabellos.

POEMAS SUELTOS, IV

1

LAS ABARCAS DESIERTAS

Por el cinco de enero,
cada enero ponía
mi calzado cabrero
a la ventana fría. [271]

Y encontraban los días,⠀⠀⠀⠀⠀⠀⠀⠀⠀5
que derriban las puertas,
mis abarcas vacías,
mis abarcas desiertas.

Nunca tuve zapatos,
ni trajes, ni palabras:⠀⠀⠀⠀⠀⠀⠀⠀10
siempre tuve regatos,
siempre penas y cabras. [272]

---

[271] Como en otros poemas escritos durante la guerra, el poeta recupera asuntos de su infancia, o se traslada a la infancia como etapa de indefensión o de humillación. En este caso el tema son los regalos de Reyes, que nunca recibía. [272] No es exacto, como sabemos por testimonio de Josefina Manresa. En el fondo, sin embargo, yace la gran verdad de la situación económica de su familia. Y, desde luego, aunque al parecer nunca llegaron a pasar hambre,

Me vistió la pobreza,
me lamió el cuerpo el río,
y del pie a la cabeza   15
pasto fui del rocío.

Por el cinco de enero,
para el seis, yo quería
que fuera el mundo entero
una juguetería.   20

Y al andar la alborada
removiendo las huertas,
mis abarcas sin nada,
mis abarcas desiertas.

Ningún rey coronado [273]   25
tuvo pie, tuvo gana
para ver el calzado
de mi pobre ventana.

Toda gente de trono,
toda gente de botas   30
se rió con encono
de mis abarcas rotas.

Rabié de llanto, hasta
cubrir de sal mi piel,
por un mundo de pasta   35
y unos hombres de miel.

Miguel se hace eco de tantos niños de su villa natal y de otras muchas que sí
la pasaron y la estaban pasando durante la confrontación bélica. En cada estrofa, como ha reconocido la crítica, el poeta toma algún elemento de los tres
fundamentales: *abarcas, cinco de enero, cabras.*   [273] Los Reyes Magos, como publica la tradición, aunque el texto bíblico sólo nombre unos «magos», esto es,
estrelleros, adivinos, cuya economía dejaría también mucho que desear.

Por el cinco de enero,
de la majada mía
mi calzado cabrero
a la escarcha salía.   40

Y hacia el seis, mis miradas
hallaban en sus puertas
mis abarcas heladas,
mis abarcas desiertas.

2

ANDALUZAS [72]

Andaluzas generosas,
nietas de las de Bailén, [274]
dad a los verdugos fosas
antes que fosas nos den.

Parid y llevad ligeras   5
hijos a los batallones,
aceituna a las trincheras
y pólvora a los cañones.

Sembrada está la simiente: [275]
y vuestros vientres darán   10

---

[274] El poeta recuerda la batalla de Bailén, el 19 de julio de 1808, que supuso la derrota y el ocaso de Napoleón.   [275] La misma imagen que el poeta utilizaba en «Canción del esposo soldado».

(72) Un poema de similar tono a «Aceituneros». Fue publicado en *Frente Sur*, Jaén, el 15 de abril de 1937.

cuerpos de triunfante frente
y bocas de puro pan.

3

CANCIÓN DEL ANTIAVIONISTA [73]

Que vienen, vienen, vienen
los lentos, lentos, lentos,
los ávidos, los fúnebres,
los aéreos carniceros.

Que nunca, nunca, nunca   5
su tenebroso vuelo
podrá ser confundido
con el de los jilgueros.

Que asaltan las palomas
sin hiel. Que van sedientos   10
de sangre, sangre, sangre,
de cuerpos, cuerpos, cuerpos,

Que el mundo no es el mundo.
Que el cielo no es el cielo,
sino el rincón del crimen   15
más negro, negro, negro.

Que han deshonrado al pájaro.
Que van de pueblo en pueblo,

(73) Poema publicado en *Lucha*, Valencia, el 22 de mayo de 1937.
Reproduce el dolor en que sumen a la población las bombas de los
aviones.

desolación y ruina
sembrando, removiendo.   20

Que vienen, vienen, vienen
con sed de cementerio
dejando atrás un rastro
de muertos, muertos, muertos.

Que ven los hospitales   25
lo mismo que los cuervos.

Que nadie duerme, nadie.
Que nadie está despierto.
Que toda madre vive
pendiente del silencio,   30
del ay de la sirena,
con la ansiedad al cuello,
sin voz, sin paz, sin casa,
sin sueño.

Que nadie, nadie, nadie   35
lo olvide ni un momento.
Que no es posible el crimen.
Que no es posible esto.
Que tierra nuestra quieren.
Que tierra les daremos   40
en un hoyo, a puñados:
que queden satisfechos.

Que caigan, caigan: caigan.
Que fuego, fuego: fuego.

4

TERUEL

Líster, [276] la vida, la cantera, el frío:
tú, la vida, tus fuerzas como llamas,
Teruel como un cadáver sobre un río.

La efusión de las piedras y las ramas,
la vida derramando un vino rudo   5
cerca de aquel cadáver con escamas.

Aquel cadáver defendió su escudo,
su muladar, su herrumbre, su leyenda:
pero la vida prevalece y pudo.

Por mucho que un cadáver se defienda,   10
la muerte está sitiada, acorralada,
cercada por la vida más tremenda.

Ni con la condición de la nevada
el círculo de hogueras se deshace,
se rompe el cerco de la llamarada.   15

No hay quien lo enfríe, quien lo despedace.
Retrocede la helada en las orejas
de este fuego vital que sopla y hace.

---

[276] Enrique Líster Forján, que participó en la defensa de Madrid como comandante del 5.º Regimiento. Al terminar la guerra se exilió a Moscú. Miguel
Hernández participó en la toma de Teruel (diciembre de 1937) en un cuerpo
de ejército mandado por Líster.

Contra la muerte, contra sus ovejas,
quemando de bravura el armamento,   20
disparas las pasiones y las cejas.

Líster, la vida, piedra del portento,
necesita una forma victoriosa,
y habrás de trabajarla con tu aliento.

Cantero de la piedra en cada cosa,   25
exiges la materia de tu hispano
granito, que es la piedra más hermosa.

En el granito se probó tu mano,
como en la harina, el yeso y la madera
se prueba tanto puño de artesano.   30

Eso es hacer la mano duradera,
y eso es vivir a prueba de peñones,
y eso es ahondar la sangre y la cantera.

Sobre el cadáver de Teruel te impones,
y el alma en los disparos se te escapa   35
frente a la nieve y a sus municiones.

Impulsos con el aire de tu capa
das a tu potro, puesto a cada instante
a recobrar las pérdidas del mapa.

Yo me encontré con este comandante,   40
bajo la luz de los dinamiteros,
en el camino de Teruel, delante.

Han cogido a la muerte los canteros
la primera ciudad, y en esta historia
se han derramado varios compañeros.   45

En su sangre se envuelve la victoria.

5

LAS PUERTAS DE MADRID [74]

Las puertas son del cielo
las puertas de Madrid.
Cerradas por el pueblo   5
nadie las puede abrir.
Cerradas por el pueblo
nadie las puede abrir.

El pueblo está en las calles
como una hiriente llave,
la tierra a la cintura
y a un lado el Manzanares;   10
la tierra a la cintura
y a un lado el Manzanares.

¡Ay río Manzanares
sin otro manzanar
que un pueblo que te hace   15
tan grande como el mar!
Que un pueblo que te hace
tan grande como el mar.

(74) El texto fue musicado por Lan Adomian, combatiente en las Brigadas Internacionales, y debió de ser una de las canciones que el pueblo entonó durante la defensa de la capital de España en el otoño de 1936. Fue incorporado a *Pastor de la muerte* con alguna variante.

6

CANTO DE INDEPENDENCIA [75]

Paso a paso, mi tierra vuelve a mí. Trozo a trozo,
vuelven la claridad y el día y el centeno.
Han querido arrojar tanta luz en un pozo,
en un pozo guardado por un puño de cieno.

Por una madrugada de gallos iracundos,   5
un ejército joven como las madrugadas
conquista, paso a paso, los arados profundos,
los pueblos invadidos, los hijos, las azadas.

Soplan los toros y hacen temblar la luz del cielo:
los hombres que yo digo la aumentan y la aclaran,   10
hasta cuando la sombra viene a invadir el suelo
y a la sombra estos hombres que he dicho le disparan.

Haciendo luz la luz y luz la sombra densa,
van los padres del sol, los padres del granito,
que hacen la espiga grande, y hacen la vida inmensa   15
y el vientre de las madres poblado de infinito. [277]

Aprende en estas vidas, aprende como aprendo:
aprende a ser un hombre bien clavado en el barro,

---

[277] Recuérdese «Canción del esposo soldado»: los hijos son el futuro infinito de cada hombre.

(75) También fue incluida, con variaciones, en *Pastor de la muerte*. El texto dramático está escrito casi todo en redondillas octosilábicas, siendo posterior a éste.

lo mismo que estos hombres que mueren encendiendo
la mecha, la sonrisa, la muerte y el cigarro. [278]   20

Dejad el pie descalzo para pisar el punto
donde cayó la sangre de las mejores venas:
para besar la tierra donde recojo y junto
los huesos orgullosos de rodar sin cadenas.

Los huesos de los que antes de entregarse al verdugo   25
prefieren enterrarse bajo su misma mano,
sobre la boca donde sólo habitó el mendrugo
echándose una tierra que no podrá el gusano.

Vergüenza en tus mejillas mientras que tú no obres
como estas anchas vidas que hasta los astros llegan.   30
Dulce es la sangre, dulce, la sangre de los pobres,
la sangre de los pueblos con la que tantos juegan.

Los cuervos la devoran a duros picotazos,
ávidos la reclaman los ricos con embudos:
hasta que, amargamente, se encrespa por los brazos   35
y ataca a quien la absorbe con aletazos rudos.

Hoy, mientras esta sangre recorre España entera
y apenas por sus hombres prueba el pan, prueba el beso,
vosotros, los llegados de un hambre carnicera,
como los perros mismos os disputáis un hueso.   40

Sois los que nunca abrís la mano, la mirada,
el corazón, la boca, para sembrar verdades:
los que siempre pedís, los que jamás dais nada,
cosecheros que sólo sembráis oscuridades.

---

[278] En aquellas fechas Miguel no fumaba, como vimos. Aprendió a hacerlo
en la cárcel.

¡Fuera de aquí, egoístas de retorcidas manos,　　　　45
dispuestos a negar la pureza en la nieve!
Sois también invasores como los italianos, [279]
como la dinamita que sobre España llueve.

La vida que prorrumpe como una llamarada
comunicando al cielo su resplandor de avena,　　　50
vuestra existencia seca de cárcel encerrada
que no sabe obtener la libertad, condena.

Blandos de peticiones y blandos de lamentos,
se mueven vuestros labios que tan sólo provoca
una voracidad brutal por los sustentos,　　　　55
sucia y abierta en tanto que otros cierran la boca.

Ellos cierran la boca como una piedra brava
y aprietan las cabezas como un siglo de puños,
cerrados, agresivos, llenos de espuma y lava,
contra aquellos que quieren robar nuestros terruños.　60

Rayos de carne y hueso, carbonizan a aquellos
que atacan su pobreza, su trabajo, su casa.
Yo voy con este soplo que exige mis cabellos,
yo alimento este fuego creciente que me abrasa.

Escoged bien la piedra para grabar los nombres,　65
la eternidad, los rasgos, la vida, la figura
de la definitiva materia de estos hombres,
hasta volverla carne de siglos y hermosura.

Escoged bien la mano y el cincel decisivo
donde de estos soldados la historia resplandezca,　70

[279] Alusión a la ayuda en hombres y armas que Mussolini proporcionó a Franco.

porque el avance sigue de la encina al olivo
por más que el perro ladre y el cuervo se oscurezca.

España se levanta limpia como las hojas
limpias con el sudor del hombre y las mañanas,
y aún sonarán los nombres y las pisadas rojas   75
cuando el bronce no suene y el cañón eche canas.

EL HOMBRE ACECHA

1

RUSIA [76]

En trenes poseídos de una pasión errante
por el carbón y el hierro que los provoca y mueve,
y en tensos aeroplanos de plumaje tajante
recorro la nación del trabajo y la nieve.

De la extensión de Rusia, de sus tiernas ventanas, 5
sale una voz profunda de máquinas y manos,
que indica entre mujeres: *Aquí están tus hermanas,*
y prorrumpe entre hombres: *Éstos son tus hermanos.*

Basta mirar: se cubre de verdad la mirada.
Basta escuchar: retumba la sangre en las orejas. 10
De cada aliento sale la ardiente bocanada
de tantos corazones unidos por parejas.

Ah, compañero Stalin: [280] de un pueblo de mendigos
has hecho un pueblo de hombres que sacuden la frente,

---

[280] Era comprensible que Miguel elogiara la labor de Stalin, puesto que había

(76) Poema escrito tras las impresiones del viaje a la URSS, en el verano de 1937, como se vio en la Introducción.

y la cárcel ahuyentan, y prodigan los trigos,   15
como a un esfuerzo inmenso le cabe: inmensamente.

De unos hombres que apenas a vivir se atrevían,
con la boca amarrada y el sueño esclavizado:
de unos cuerpos que andaban, vacilaban, crujían,
una masa de férreo volumen has forjado.   20

Has forjado una especie de mineral sencillo,
que observa la conducta del metal más valioso,
perfecciona el motor, y señala el martillo,
la hélice, la salud, con un dedo orgulloso.

Polvo para los zares, los reales bandidos: 25
Rusia nevada de hambre, dolor y cautiverios.
Ayer sus hijos iban a la muerte vencidos,
hoy proclaman la vida y hunden los cementerios.

Ayer iban sus ríos derritiendo los hielos,
quemados por la sangre de los trabajadores.   30
Hoy descubren industrias, maquinarias, anhelos,
y cantan rodeados de fábricas y flores.

Y los ancianos lentos que llevan una huella
de zar sobre sus hombros, interrumpen el paso,
por desplumar alegres su alta barba de estrella   35
ante el joven fulgor que remoza su ocaso.

Las chozas se convierten en casas de granito.
El corazón se queda desnudo entre verdades.
Y como una visión real de lo inaudito,
brotan sobre la nada bandadas de ciudades.   40

---

sido invitado por el régimen comunista, y él mismo acababa de afiliarse al
Partido. Todo lo veía, pues, de color de rosa.

La juventud de Rusia se esgrime y se agiganta
como un arma afilada por los rinocerontes.
La metalurgia suena dichosa de garganta,
y vibran los martillos de pie sobre los montes.

Con las inagotables vacas de oro yacente   45
que ordeñan los mineros de los montes Urales,
Rusia edifica un mundo feliz y transparente
para los hombres llenos de impulsos fraternales.

Hoy que contra mi patria clavan sus bayonetas
legiones malparidas por una torpe entraña,   50
los girasoles rusos, como ciegos planetas,
hacen girar su rostro de rayos hacia España.

Aquí está Rusia entera vestida de soldado,
protegiendo los niños que anhela la trilita
de Italia y de Alemania [281] bajo el sueño sagrado,   55
y que del vientre mismo de la madre los quita.

Dormitorios de niños españoles: zarpazos
de inocencia que arrojan de Madrid, de Valencia,
a Mussolini, a Hitler, los dos mariconazos,
la vida que destruyen manchados de inocencia.   60

Frágiles dormitorios al sol de la luz clara,
sangrienta de repente y erizada de astillas.
¡Si tanto dormitorio deshecho se arrojara
sobre las dos cabezas y las cuatro mejillas!

Se arrojará, me advierte desde su tumba viva   65
Lenin, con pie de mármol y voz de bronce quiero,
mientras contempla inmóvil el agua constructiva

---

[281] Parece premonitorio del ataque de las tropas alemanas a Rusia en la
Segunda Guerra Mundial.

que fluye en forma humana detrás de su esqueleto.
Rusia y España, unidas como fuerzas hermanas, [282]
fuerza serán que cierre las fauces de la guerra.   70
Y sólo se verá tractores y manzanas,
panes y juventud sobre la tierra.

2

EL SOLDADO Y LA NIEVE [(77)]

Diciembre ha congelado su aliento de dos filos,
y lo resopla desde los cielos congelados,
como una llama seca desarrollada en hilos,
como una larga ruina que ataca a los soldados.

Nieve donde el caballo que impone sus pisadas   5
es una soledad de galopante luto.
Nieve de uñas cernidas, de garras derribadas,
de celeste maldad, de desprecio absoluto.

Muerde, tala, traspasa como un tremendo hachazo,
con un hacha de mármol encarnizado y leve.   10
Desciende, se derrama como un deshecho abrazo
de precipicios y alas, de soledad y nieve.

Esta agresión que parte del centro del invierno,
hambre cruda, cansada de tener hambre y frío,

---

[282] Son hermanas porque Rusia ha enviado todo tipo de ayudas a España.

(77) El poema debió de ser escrito en torno a la toma de Teruel,
como ya se vio, y en la que participó el poeta en diciembre de 1937.
La imagen de la nieve es reiterativa en uno y otro.

amenaza al desnudo con un rencor eterno, 15
blanco, mortal, hambriento, silencioso, sombrío. [283]

Quiere aplacar las fraguas, los odios, las hogueras,
quiere cegar los mares, sepultar los amores:
y va elevando lentas y diáfanas barreras,
estatuas silenciosas y vidrios agresores. 20

Que se derrame a chorros el corazón de lana [284]
de tantos almacenes y talleres textiles,
para cubrir los cuerpos que queman la mañana
con la voz, la mirada, los pies y los fusiles.

Ropa para los cuerpos que pueden ir desnudos, 25
que pueden ir vestidos de escarchas y de hielos:
de piedra enjuta contra los picotazos rudos,
las mordeduras pálidas y los pálidos vuelos.

Ropa para los cuerpos que rechazan callados
los ataques más blancos con los huesos más rojos. 30
Porque tienen el hueso solar estos soldados,
y porque son hogueras con pisadas, con ojos.

La frialdad se abalanza, la muerte se deshoja,
el clamor que no suena, pero que escucho, llueve.
Sobre la nieve blanca, la vida roja y roja 35
hace la nieve cálida, siembra fuego en la nieve.

Tan decididamente son el cristal de roca
que sólo el fuego, sólo la llama cristaliza,
que atacan con el pómulo nevado, con la boca,
y vuelven cuanto atacan recuerdos de ceniza. 40

---

[283] Espléndida enumeración a base de adjetivos. [284] *Corazón de lana:* la imagen resulta especialmente llamativa, pues contrasta el calor de la lana, en el interior, con el frío de la nieve, en el exterior.

3

EL TREN DE LOS HERIDOS [78]

Silencio que naufraga en el silencio
de las bocas cerradas de la noche.
No cesa de callar ni atravesado.
Habla el lenguaje ahogado de los muertos.

Silencio.   5

Abre caminos de algodón profundo,
amordaza las ruedas, los relojes,
detén la voz del mar, de la paloma:
emociona la noche de los sueños.

Silencio.   10

El tren lluvioso de la sangre suelta,
el frágil tren de los que se desangran,
el silencioso, el doloroso, el pálido,
el tren callado de los sufrimientos.

Silencio.   15

Tren de la palidez mortal que asciende:
la palidez reviste las cabezas,

---

(78) Un poema singular en el que Miguel canta lo incantable: el advenimiento de la derrota que ya se entrevé en esta penosa caravana de hombres heridos, agonizantes. La palabra «silencio», entre estrofas, funciona como *leit-motiv* y se comporta como estrofa de un solo verso, tan condensado que se queda en la mínima expresión de un pie quebrado. Un silencio de muerte incapaz de sacudirse el dolor que su latencia produce.

el ¡ay! la voz, el corazón la tierra,
el corazón de los que malhirieron.

Silencio. 20

Van derramando piernas, brazos, ojos.
Van arrojando por el tren pedazos.
Pasan dejando rastros de amargura,
otra vía láctea de estelares miembros.

Silencio. 25

Ronco tren desmayado, [285] enrojecido:
agoniza el carbón, suspira el humo,
y, maternal, la máquina suspira,
avanza como un largo desaliento.

Silencio. 30

Detenerse quisiera bajo un túnel
la larga madre, sollozar tendida.
No hay estaciones donde detenerse,
si no es el hospital, si no es el pecho.

Para vivir, con un pedazo basta: 35
en un rincón de carne cabe un hombre.
Un dedo solo, un solo trozo de ala
alza el vuelo total de todo un cuerpo.

Silencio.

Detened ese tren agonizante 40
que nunca acaba de cruzar la noche.

---

[285] Obsérvese la personificación del tren, que aglutina todo el dolor del
poeta y de los que van vencidos por el dolor.

Y se queda descalzo hasta el caballo,
y enarena los cascos y el aliento.

4

MADRE ESPAÑA [79]

Abrazado a tu cuerpo como el tronco a su tierra,
con todas las raíces y todos los corajes,
¿quién me separará, me arrancará de ti,
madre?

Abrazado a tu vientre, ¿quién me lo quitará,   5
si su fondo titánico da principio a mi carne?
Abrazado a tu vientre, que es mi perpetua casa,
¡nadie!

Madre: abismo de siempre, tierra de siempre: entrañas
donde desembocando se unen todas las sangres: 10
donde todos los huesos caídos se levantan:
madre.

Decir madre es decir *tierra que me ha parido;*
es decir a los muertos: *hermanos, levantarse;*
es sentir en la boca y escuchar bajo el suelo   15
sangre.

La otra madre es un puente, nada más, de tus ríos.
El otro pecho es una burbuja de tus mares.
Tú eres la madre entera con todo tu infinito,
madre.   20

(79) Texto publicado en *Comisario*, núm. 5, enero de 1939. Se encuentran en él influjos de *Espadas como labios,* de Vicente Aleixandre.

Tierra: tierra en la boca, y en el alma, y en todo.
Tierra que voy comiendo, que al fin ha de tragarme.
Con más fuerza que antes, volverás a parirme,
madre.

Cuando sobre tu cuerpo sea una leve huella,   25
volverás a parirme con más fuerza que antes.
Cuando un hijo es un hijo, vive y muere gritando:
¡madre!

Hermanos: defendamos su vientre acometido,
hacia donde los grajos crecen de todas partes,   30
pues, para que las malas alas vuelen, aún quedan
aires.

Echad a las orillas de vuestro corazón
el sentimiento en límites, los efectos parciales.
Son pequeñas historias al lado de ella, siempre   35
grande.

Una fotografía y un pedazo de tierra,
una carta y un monte son a veces iguales.
Hoy eres tú la hierba que crece sobre todo,
madre.   40

Familia de esta tierra que nos funde en la luz,
los más oscuros muertos pugnan por levantarse,
fundirse con nosotros y salvar la primera
madre.

España, piedra estoica que se abrió en dos pedazos   45
de dolor y de piedra profunda para darme:
no me separarán de tus altas entrañas,
madre.

Además de morir por ti, pido una cosa:
que la mujer y el hijo que tengo, cuando pasen,   50
vayan hasta el rincón que habite de tu vientre,
madre.

CANCIONERO Y ROMANCERO
DE AUSENCIAS

1

El sol, la rosa y el niño
flores de un día nacieron. [286]
Los de cada día son
soles, flores, niños nuevos.

Mañana no seré yo: 5
otro será el verdadero.
Y no seré más allá
de quien quiera su recuerdo. [287]

Flor de un día es lo más grande
al pie de lo más pequeño.   10
Flor de la luz el relámpago,
y flor del instante el tiempo.

Entre las flores te fuiste.
Entre las flores me quedo.

---

[286] El tema del *tempus fugit*, que tiene presentes elementos de la poesía áurea, pero también el hijo —Manuel Ramón— muerto. [287] Existe un borrador que incluye aquí otra estrofa: «Vivo lo que vivo hoy / lo que estoy soñando es nuestro, / hacia atrás, hacia adelante / por las orillas del cuerpo.»

2

Besarse, mujer,
al sol, es besarnos
en toda la vida.
Ascienden los labios,
eléctricamente   5
vibrantes de rayos,
con todo el furor
de un sol entre cuatro.
Besarse a la luna,
mujer, es besarnos   10
en toda la muerte. [288]
Descienden los labios,
con toda la luna,
pidiendo su ocaso,
del labio de arriba,   15
del labio de abajo,
gastada y helada
y en cuatro pedazos.

3

En este campo
estuvo el mar.
Alguna vez volverá.
Si alguna vez una gota [289]
roza este campo, este campo   5
siente el recuerdo del mar.
Alguna vez volverá.

---

[288] Resulta clara la contraposición sol = vida/luna = muerte.   [289] Este verso es sustituido, en ocasiones, por este otro: *El día que un agua leve.*

4

El corazón es agua
que se acaricia y canta.

El corazón es puerta
que se abre y se cierra.

El corazón es agua   5
que se remueve, arrolla,
se arremolina, mata. [290]

5 **(80)**

Llegó con tres heridas:
la del amor,
la de la muerte,
la de la vida.

Con tres heridas viene: 5
la de la vida,

---

[290] Nótese la gradación ascendente producida por los verbos *se remueve, arrolla, se arremolina, mata*. Para J. Díez de Revenga en este texto se encuentra una de las más claras pruebas de «paralelismo incrementado», ya que aunque se produce paralelismo, «el desarrollo de la metáfora final en el intento de definir la transfiguración poética del corazón se va concretando conforme avanza este poema en su brevedad hacia el final». «La poesía paralelística de Miguel Hernández», en *Revista de Occidente*, 139, octubre de 1974, tomado de C. Alemany (ed.), *Miguel Hernández*, p. 230.

(80) El poema resume, en gran medida, la propia vida de Miguel Hernández. Advirtiértase que los elementos del texto son siempre los mismos, si bien variando su posición y, con ello, el efecto estilístico.

la del amor,
la de la muerte.

Con tres heridas yo:
la de la vida,   10
la de la muerte,
la del amor.

6

Cogedme, cogedme.
Dejadme, dejadme,
fieras, hombres, sombras,
soles, flores, mares. [291]
Cogedme.   5
Dejadme.

7

Tan cercanos, y a veces
qué lejos los sentimos,
tú yéndote a los muertos,
yo yéndome a los vivos.

8

Llevadme al cementerio
de los zapatos viejos.

---

[291] Nótese la enumeración caótica en base a sustantivos.

Echadme a todas horas
la pluma de la escoba.

Sembradme con estatuas   5
de rígida mirada.

Por un huerto de bocas,
futuras y doradas,
relumbrará mi sombra.

9

Muerto mío, muerto mío: [292]
nadie nos siente en la tierra
donde haces caliente el frío.

10 (81)

Todas las casas son ojos
que resplandecen y acechan.

Todas las casas son bocas
que escupen, muerden y besan.

Todas las casas son brazos   5
que se empujan y se estrechan.

---

[292] Su hijo Manuel Ramón.

(81) Todo el poema es una personificación de la casa, provista de ojos, bocas, brazos capaces de soplar y clamar y de fecundarse y esperar. El poeta no pierde la esperanza de regresar a su casa.

De todas las casas salen
soplos de sombra y de selva.

En todas hay un clamor
de sangres insatisfechas.   10

Y a un grito todas las casas
se asaltan y se despueblan.

Y a un grito, todas se aplacan,
y se fecundan, y esperan.

11 (82)

Cuando paso por tu puerta,
la tarde me viene a herir
con su hermosura desierta
que no acaba de morir.

Tu puerta no tiene casa   5
ni calle: tiene un camino,
por donde la tarde pasa
como un agua sin destino.

Tu puerta tiene una llave
que para todos rechina.   10
En la tarde hermosa y grave,
ni una sola golondrina.

Hierbas en tu puerta crecen
de ser tan poco pisada.

(82) Poema de clara ascendencia popular.

Todas las cosas padecen   15
sobre la tarde abrasada.

La piel de tu puerta, ¿encierra
un lecho que compartir? [293]
La tarde no encuentra tierra
donde ponerse a morir.   20

Lleno de un siglo de ocasos
de una tarde azul de abierta,
hundo en tu puerta mis pasos
y no sales a tu puerta.

En tu puerta no hay ventana   25
por donde poderte hablar.
Tarde, hermosura lejana
que nunca pude lograr.

Y la tarde azul corona
tu puerta gris de vacía.   30
Y la noche se amontona
sin esperanzas de día.

12

¿Qué pasa?
Rencor por tu mundo,
amor por mi casa. [294]

---

[293] Nueva personificación de la casa —con la puerta como motivo— que no esconde los deseos de volver a disfrutar del amor conyugal.   [294] Existe un borrador que incluye, tras ésta, la siguiente estrofa: «¿Qué sopla? / Viento por el alba, / frío por tu alcoba.»

¿Qué suena?
El tiro en tu monte,   5
y el beso en mis eras.

¿Qué viene?
Para ti una sola,
para mí dos muertes.

13

Corazón de leona
tienes a veces.
Zarpa, nardo del odio,
siempre floreces.

Una leona   5
llevaré cada día
como corona.

14

A MI HIJO [83]

Te has negado a cerrar los ojos, muerto mío,
abiertos ante el cielo como dos golondrinas:
su color coronado de junios, ya es rocío
alejándose a ciertas regiones matutinas.

Hoy, que es un día como bajo la tierra, oscuro,   5
como bajo la tierra, lluvioso, despoblado,

---

(83) Manuel Ramón, que falleció el 19 de octubre de 1938.

con la humedad sin sol de mi cuerpo futuro,
como bajo la tierra quiero haberte enterrado.

Desde que tú eres muerto no alientan las mañanas,
al fuego arrebatadas de tus ojos solares: 10
precipitado octubre contra nuestras ventanas,
diste paso al otoño y anocheció los mares.

Te ha devorado el sol, rival único y hondo,
y la remota sombra que te lanzó encendido;
te empuja luz abajo llevándote hasta el fondo,   15
tragándote; y es como si no hubieras nacido.

Diez meses [295] en la luz, redondeando el cielo,
sol muerto, anochecido, sepultado, eclipsado.
Sin pasar por el día se marchitó tu pelo;
atardeció tu carne con el alba en un lado.   20

El pájaro pregunta por ti, cuerpo al oriente,
carne naciente al alba y al júbilo precisa;
niño que sólo supo reír, tan largamente,
que sólo ciertas flores mueren con tu sonrisa.

Ausente, ausente, ausente como la golondrina,   25
ave estival que esquiva vivir al pie del hielo:
golondrina que a poco de abrir la pluma fina,
naufraga en las tijeras enemigas del vuelo.

Flor que no fue capaz de endurecer los dientes,
de llegar al más leve signo de la fiereza. [296]   30

---

[295] El niño vivió diez meses exactos, pues había nacido el 19 de diciembre de 1937.   [296] El hecho de que no le llegaran a cuajar los dientes, quizás por una inadecuada alimentación, lo convierte el poeta en señal de inocencia, de anti-violencia.

Vida como una hoja de labios incipientes,
hoja que se desliza cuando a sonar empieza.

Los consejos del mar de nada te han valido...
Vengo de dar a un tierno sol una puñalada,
de enterrar un pedazo de pan en el olvido,   35
de echar sobre unos ojos un puñado de nada.

Verde, rojo, moreno: verde, azul y dorado;
los latentes colores de la vida, los huertos,
el centro de las flores a tus pies destinado,
de oscuros negros tristes, de graves blancos yertos.   40

Mujer arrinconada: mira que ya es de día.
(¡Ay, ojos sin poniente por siempre en la alborada!)
Pero en tu vientre, pero en tus ojos, mujer mía,
la noche continúa cayendo desolada.

15

ORILLAS DE TU VIENTRE [84]

¿Qué exaltaré en la tierra que no sea algo tuyo?
A mi lecho de ausente me echo como a una cruz
de solitarias lunas del deseo, [297] y exalto
la orilla de tu vientre.

---

[297] Aquí *lunas* significa noches; noches sin disfrutar del amor conyugal, que es la culminación del amor para el poeta de Orihuela. Guerrero Zamora ha

[84] «El vientre es el centro del universo; en él se unen las dos tendencias contrarias de lo humano: lo que tira hacia la tierra ("la voz de las raíces") y lo que tiende hacia el cielo ("el soplo de la altura") de Miguel Hernández», en *En torno a Miguel Hernández*, p. 106.

Clavellina del valle que provocan tus piernas.   5
Granada que has rasgado de plenitud su boca.
Trémula zarzamora suavemente dentada
donde vivo arrojado.

Arrojado y fugaz como el pez generoso,
ansioso de que el agua, la lenta acción del agua   10
lo devaste: sepulte su decisión eléctrica
de fértiles relámpagos.

Aún me estremece el choque primero de los dos;
cuando hicimos pedazos la luna a dentelladas,
impulsamos las sábanas a un abril de amapolas,   15
nos inspiraba el mar.

Soto que atrae, umbría de vello casi en llamas,
dentellada tenaz que siento en lo más hondo,
vertiginoso abismo que me recoge, loco
de la lúcida muerte.   20

Túnel por el que a ciegas me aferro a tus entrañas.
Recóndito lucero tras una madreselva
hacia donde la espuma se agolpa, arrebatada
del íntimo destino.

En ti tiene el oasis su más ansiado huerto: 25
el clavel y el jazmín se entrelazan, se ahogan.
De ti son tantos siglos de muerte, de locura
como te han sucedido.

---

dicho sobre este particular: «[Miguel,] monógamo convicto —con fugaces des-
viaciones—, perpetua y exacerbadamente sensual como buen mediterráneo,
huertano feraz [...] y, por unas y otras circunstancias, en obligada continencia tónica, no es de extrañar que, en las contadas ocasiones en que pudo, sa-
tisficiera con ansia su virilidad, especialmente en su matrimonio, que de tan
poco y esporádico tiempo dispuso para consumarse.»

Corazón de la tierra, centro del universo,
todo se atorbellina, con afán de satélite   30
en torno a ti, pupila del sol que te entreabres
en la flor del manzano.

Ventana que da al mar, a una diáfana muerte
cada vez más profunda; más azul y anchurosa.
Su hálito de infinito propaga los espacios   35
entre tú y yo y el fuego.

Trágame, leve hoyo donde avanzo y me entierro.
La losa que me cubra sea tu vientre leve,
la madera tu carne, la bóveda tu ombligo,
la eternidad la orilla.   40

En ti me precipito como en la inmensidad
de un mediodía claro de sangre submarina,
mientras el delirante hoyo se hunde en el mar,
y el clamor se hace hombre.

Por ti logro en tu centro la libertad del astro.   45
En ti nos acoplamos como dos eslabones,
tú poseedora y yo. Y así somos cadena:
mortalmente abrazados.

16 [85]

Bocas de ira.
Ojos de acecho.

(85) A lo largo de la obra de M. Hernández, afirma Juan Cano Ballesta, encontramos «movimientos más sosegados y apacibles [que] pueden ajustarse a la perfección a los movimientos del alma y evo-

Perros aullando.
Perros y perros.
Todo baldío.   5
Todo reseco.
Cuerpos y campos,
cuerpos y cuerpos.

¡Qué mal camino,
qué ceniciento   10
corazón tuyo,
fértil y tierno!

17

Tristes guerras
si no es amor la empresa.
Tristes. Tristes.

Tristes armas
si no son las palabras.   5
Tristes. Tristes.

Tristes hombres
si no mueren de amores.
Tristes. Tristes.

carlos de manera sorprendente», como ocurre en este poema, con
«versos de ritmo callado, silencioso y sin sonoridad externa, pero al-
tamente conmovedores y en armonía con el sentimiento que comu-
nican», *La poesía de Miguel Hernández,* p. 212.

HIJO DE LA LUZ Y DE LA SOMBRA [86]

18

HIJO DE LA LUZ

Tú eres el alba, esposa: la principal penumbra,
recibes entornadas las horas de tu frente.
Decidido al fulgor, pero entornado, alumbra
tu cuerpo. Tus entrañas forjan el sol naciente.

Centro de claridades, la gran hora te espera   5
en el umbral de un fuego que el fuego mismo abrasa:
te espero yo, inclinado como el trigo a la era,
colocando en el centro de la luz nuestra casa.

La noche, desprendida de los pozos oscuros,
se sumerge en los pozos donde ha echado raíces.   10
Y tú te abres al parto luminoso, entre muros
que se rasgan contigo como pétreas matrices.

La gran hora del parto, la más rotunda hora:
estallan los relojes sintiendo tu alarido,

---

(86) Marie Chevallier ve en el conjunto *Hijo de la luz y de la sombra*,
del que aquí he seleccionado el apartado II, la expresión del misticis-
mo vitalista y pagano del poeta, que llegaría a una intensificación espiritual, una subida, hasta cierto punto, comparable en su desarrollo a
la que viven los místicos españoles, y después a una iluminación de la
gracia. Se comparta o no esta apreciación, lo cierto es que Miguel consigue un tríptico especialmente sonoro y profundo, una alegoría, en buena medida, del amor conyugal y la paternidad-maternidad.

se abren todas las puertas del mundo, de la aurora,   15
y el sol nace en tu vientre donde encontró su nido.

El hijo fue primero sombra y ropa cosida
por tu corazón hondo desde tus hondas manos.
Con sombras y con ropas anticipó su vida,
con sombras y con ropas de gérmenes humanos.   20

Las sombras y las ropas sin población, desiertas,
se han poblado de un niño sonoro, un movimiento,
que en nuestra casa pone de par en par las puertas,
y ocupa en ella a gritos el luminoso asiento.

¡Ay, la vida: qué hermoso penar tan moribundo!   25
Sombras y ropas trajo la del hijo que nombras.
Sombras y ropas llevan los hombres por el mundo.
Y todos dejan siempre sombras: ropas y sombras.

Hijo del alba eres, hijo del mediodía.
Y ha de quedar de ti luces en todo impuestas,   30
mientras tu madre y yo vamos a la agonía,
dormidos y despiertos con el amor a cuestas.

Hablo y el corazón me sale en el aliento.
Si no hablara lo mucho que quiero me ahogaría.
Con espliego y resinas perfumo tu aposento.   35
Tú eres el alba, esposa. Yo soy el mediodía.

19

Menos tu vientre, [298]
todo es confuso.

---

[298] El vientre, que aparece en varios poemas de Miguel —recuérdese
«Orillas de tu vientre»—, «en los sueños de adulto puede significar una acti-

Menos tu vientre,
todo es futuro,
fugaz, pasado   5
baldío, turbio.
Menos tu vientre,
todo es oculto.
Menos tu vientre,
todo inseguro,   10
todo postrero,
polvo sin mundo.
Menos tu vientre,
todo es oscuro.
Menos tu vientre,   15
claro y profundo. [299]

                          20

Cerca del agua te quiero llevar, [300]
porque tu arrullo trascienda del mar.

Cerca del agua te quiero tener,
porque te aliente su vívido ser.

Cerca del agua te quiero sentir,   5
porque la espuma te enseñe a reír.

_____

tud regresiva, un retorno al útero, una maduración espiritual entorpecida, expuesta a graves obstáculos afectivos», Jean Chevalier y Alain Gheerbrant, *Diccionario de los símbolos*, B. Herder, 1988. No está aquí en sueños, sino en un poema, pero la actitud del poeta es semejante, ya que se encuentra en similar situación anímica por hallarse en la cárcel. Con todo, el vientre suele contener *un sol —hijo—* que lo ilumina por dentro.   [299] La imagen de claridad del vientre femenino estará asimismo en el último Guillén: *Nuestro abrazo: sol ya íntimo.* Véase sobre este asunto mi artículo «Al Final, el amor», en Jorge Guillén, *El hombre y la obra*, Valladolid, Universidad, 1995, pp. 141-160.   [300] Obsérvese

Cerca del agua te quiero, mujer,
ver, abarcar, fecundar, conocer.

Cerca del agua perdida del mar,
que no se puede perder ni encontrar.   10

21

NANAS DE LA CEBOLLA [87]

La cebolla es escarcha
cerrada y pobre:
escarcha de tus días
y de mis noches.
Hambre y cebolla: 5
hielo negro y escarcha
grande y redonda. [301]

---

que utiliza el endecasílabo dactílico —con acentuación en primera, cuarta y
séptima sílabas— agudo, en aleluyas. Éstas riman en capicúa: *llevar: mar; tener:
ser; sentir: reír; mujer: conocer; mar: encontrar.*   [301] Obsérvese el paralelismo *hielo negro: hambre; cebolla: escarcha.*

~~~~~~

(87) El motivo del poema es muy conocido: Josefina escribió una
carta a Miguel diciendo que se alimentaba de pan y cebolla, y el poeta compuso el poema con ese asunto al fondo. La viuda del poeta ha
puntualizado sobre la anécdota: «Vino por aquí una mujer y me dijo que no debía haber hecho sufrir a Miguel contándole que comía
pan y cebolla, diciendo después: "Claro que si usted no le hubiera dicho eso, no tendríamos ese poema tan hermoso." Yo le dije que ella
no se podía dar una idea lo que fueron aquellos tiempos, y decirle yo
a Miguel que no comía más que pan y cebolla era tranquilizarlo, porque era cebolla sola lo que podía comer muchos días y porque me la
daban vecinos y familiares», *Recuerdos,* cit., pp. 80-81.

En la cuna del hambre
mi niño estaba.
Con sangre de cebolla   10
se amamantaba. [302]
Pero tu sangre,
escarchaba de azúcar,
cebolla y hambre.

Una mujer morena,   15
resuelta en luna, [303]
se derrama hilo a hilo
sobre la cuna.
Ríete, niño,
que te tragas la luna   20
cuando es preciso.

Alondra de mi casa,
ríete mucho.
Es tu risa en los ojos [304]
la luz del mundo.   25
Ríete tanto
que en el alma, al oírte,
bata el espacio.

Tu risa me hace libre,
me pone alas.   30
Soledades me quita,
cárcel me arranca.
Boca que vuela,

---

[302] El jugo de la cebolla pasa, a través del pecho materno, al hijo. [303] La luna es una cebolla, la madre es una luna, la leche materna se derrama hilo a hilo sobre el hijo. [304] Miguel sabía, por las cartas de su esposa, que el niño se reía mucho. En carta del poeta (3/8/39) dice, contemplando una fotografía: «tiene toda tu cara, *tus ojos son los suyos, y la manera de reír*».

corazón que en tus labios
relampaguea.   35

Es tu risa la espada
más victoriosa.
Vencedor de las flores
y las alondras.
Rival del sol, [305]   40
porvenir de mis huesos
y de mi amor.

La carne aleteante,
súbito el párpado,
y el niño como nunca   45
coloreado.
¡Cuánto jilguero
se remonta, aletea,
desde tu cuerpo!

Desperté de ser niño.   50
Nunca despiertes.
Triste llevo la boca.
Ríete siempre.
Siempre en la cuna,
defendiendo la risa   55
pluma por pluma.

Ser de vuelo tan alto,
tan extendido,
que tu carne parece
cielo cernido.   60
¡Si yo pudiera
remontarme al origen
de tu carrera!

---

[305] Véase la nota 300.

Al octavo mes ríes
con cinco azahares. [306]   65
Con cinco diminutas
ferocidades.
Con cinco dientes
como cinco jazmines
adolescentes.   70

Frontera de los besos
serán mañana,
cuando en la dentadura
sientas un arma. [307]
Sientas un fuego   75
correr dientes abajo
buscando el centro.

Vuela niño en la doble
luna [308] del pecho.
Él, triste de cebolla.   80
Tú, satisfecho.
No te derrumbes.
No sepas lo que pasa
ni lo que ocurre.

22

CANCIONERO DE AUSENCIAS

Debajo del granado
de mi pasión

---

[306] En efecto, cuando el niño cumplió los ocho meses, tenía cinco dientes.
[307] Los dientes como arma suelen repetirse a lo largo de la obra de Hernández.
Compárese con lo advertido en nota 296.   [308] *doble luna:* los pechos que lo
amamantan.

amor, amor he llorado
¡ay de mi corazón!

Al fondo del granado   5
de mi pasión
el fruto se ha desangrado
¡ay de mi corazón!

23

Enciende las dos puertas,
abre la lumbre.
No sé lo que me pasa
que tropiezo en las nubes.

24

Dicen que parezco otro.
Pero sigo siendo el mismo
desde tu vientre remoto.

25

¿Para qué me has parido, mujer?:
¿para qué me has parido?
Para dar a los cuerpos de allá
este cuerpo que siento hacia aquí,
hacia ti traído.   5

Para qué me has parido, mujer,
si tan lejos de ti me has parido.

26

De aquel querer mío,
¿qué queda en el aire?

Sólo un traje frío
donde ardió la sangre.

OTROS POEMAS DEL CICLO

1

Que me aconseje el mar
lo que tengo que hacer:
si matar, si querer.

2

El pez más viejo del río
de tanto sabiduría
como amontonó, vivía
brillantemente sombrío.
Y el agua le sonreía.   5

Tan sombrío llegó a estar
(nada el agua le divierte)
que después de meditar,
tomó el camino del mar,
es decir, el de la muerte. [309]   10

Reíste tú junto al río,
niño solar. Y ese día

---

[309] Hernández retoma el viejo tópico manriqueño del mar como destino final del hombre: la muerte.

el pez más viejo del río
se quitó el aire sombrío.
Y el agua te sonreía.   15

3

Con dos años, dos flores
cumples ahora.
Dos alondras llenando
toda tu aurora.
Niño radiante: 5
va mi sangre contigo
siempre adelante.

Sangre mía, adelante,
no retrocedas.
La luz rueda en el mundo,   10
mientras tú ruedas.
Todo te mueve,
universo de un cuerpo
dorado y leve.

Herramienta es tu risa,   15
luz que proclama
la victoria del trigo
sobre la grama.
Ríe. Contigo
venceré siempre al tiempo [310]   20
que es mi enemigo.

---

[310] Una vez más acude al tema de la trascendencia temporal que se cumpla en el hijo.

4

CASIDA DEL SEDIENTO

Arena del desierto
soy: desierto de sed.
Oasis es tu boca
donde no he de beber. [311]

Boca: oasis abierto   5
a todas las arenas del desierto.

Húmedo punto en medio
de un mundo abrasador,
el de tu cuerpo, el tuyo,
que nunca es de los dos.   10

Cuerpo: pozo cerrado
a quien la sed y el sol han calcinado.

5

YO NO QUIERO MÁS LUZ QUE TU CUERPO
ANTE EL MÍO

Yo no quiero más luz que tu cuerpo ante el mío:
claridad absoluta, transparencia redonda,
Limpidez cuya entraña, como el fondo del río,
con el tiempo se afirma, con la sangre se ahonda.

---

[311] La distancia física y espiritual provocada por el encarcelamiento produce esta metáfora, bien distinta a la del verso 25 de «Orillas de tu vientre»: «En ti tiene el oasis su más ansiado huerto.»

¿Qué lucientes materias duraderas te han hecho,   5
corazón de alborada, carnación matutina?
Yo no quiero más día que el que exhala tu pecho
Tu sangre es la mañana que jamás se termina.

No hay más luz que tu cuerpo, no hay más sol: todo
                                                        [ocaso.
Yo no veo las cosas a otra luz que tu frente.   10
La otra luz es fantasma, nada más, de tu paso.
Tu insondable mirada nunca gira al poniente.

Claridad sin posible declinar. Suma esencia
del fulgor que ni cede ni abandona la cumbre.
Juventud. Limpidez. Claridad. Transparencia   15
acercando los astros más lejanos de lumbre.

Claro cuerpo moreno de calor fecundante.
Hierba negra el origen; hierba negra las sienes.
Trago negro los ojos, la mirada distante.
Día azul. Noche clara. Sombra clara que vienes.   20

Yo no quiero más luz que tu sombra dorada
donde brotan anillos de una hierba sombría.
En mi sangre, fielmente por tu cuerpo abrasada,
para siempre es de noche: para siempre es de día.

6

Te escribo y el sol
palpita en la tinta.

¡Ausencia viva!

Te espero... La lluvia   5
se ciñe a mi espera.

¡Ausencia muerta!

7

Nadie se da cuenta
de estos zapatos,
junto a los que corro
y caigo.

Nadie se da cuenta   5
de estas ropas
junto a las que vela
y llora.

8 (88)

Sobre el cuerpo de la luna
nadie pone su calor.
Frente a frente sol y luna
entre la luna y el sol
que se buscan y no se hallan   5
     tú y yo.
Pero por fin se hallarán
nos hallaremos, amor,
y el mundo será redondo
hacia nuestro corazón.   10

(88) Aunque el poeta padece una profunda depresión, sigue inten-
tando encontrar, en el amor de la esposa, un motivo de esperanza.

Documentos y juicios críticos

1. ASPECTOS BIOGRÁFICOS

A) *En el colegio de Santo Domingo, Miguel Hernández compartió aulas y estudios con chicos de clase social superior. Eso no significaba que trabajase en igualdad de condiciones que ellos. Llevar uniforme debió de ser para él, acostumbrado a sus esparteñas, un auténtico suplicio.*

Cuando Miguel iba al colegio, sí que iba muy limpio y ordenado, ya que estudiaba en la misma clase con los niños ricos, porque no había ninguna distinción para nadie. Por cursos, tanto en clase como en el patio de recreo, estaban juntos los internos, los externos y los de media pensión. Seguramente, por darles el mismo trato, los jesuitas ordenaban que no hubiera distinción en el vestir. Yo recuerdo ver pasar a los externos, y también a mi hermano, muy bien vestidos con traje de chaqueta y zapatos negros con la limpieza que exigían para todos, y en los días de comunión llevaban medias negras, pues en aquel tiempo iban los niños con pantalón corto —y bien corto— hasta los catorce o quince años. Les obligaban a utilizar medias para ese acto.

> Josefina Manresa, *Recuerdos de la viuda de Miguel Hernández,* p. 26.

B) *Miguel seguía siendo un joven necesitado de contacto con la Naturaleza aunque viviera en Madrid. Vicente Aleixandre, que fue uno de sus mejores amigos en la capital, lo recordaba así.*

En esos casi comienzos de verano, cuando han brotado los árboles y el aire brilla con potestad de cielo y la naturaleza parece poderle a la ciudad, Miguel era más Miguel que nunca. También él, al ritmo natural, semejaba arribado en esa onda de verdad que enverdecía a Madrid y lo coloreaba.

Algo tenía en esas horas que le hacía aparecer como si siempre llegase de bañarse en el río. Y muchos días de eso llegaba, efectivamente. «¿De dónde vienes, Miguel?» «¡Del río!», contestaba con voz fresquísima. Y allí estaba, recién emergido, riendo, con su doble fila de dientes blancos, con su cara atezada y sobria, su cabeza pelada y su mechoncillo sobre la frente.

[...] Él, rudo de cuerpo, poseía la infinita delicadeza de los que tienen el alma no sólo vidente, sino benevolente. Su planta en la tierra no era la del árbol que da sombra y refresca. Porque su calidad humana podía más que todo su parentesco, tan hermoso, con la naturaleza.

Era confiado y no aguardaba daño. Creía en los hombres y esperaba en ellos. No se le apagó nunca, no, ni en el último momento, esa luz que por encima de todo, trágicamente, le hizo morir con los ojos abiertos.

Vicente Aleixandre, «Evocación de Miguel Hernández», en *Los encuentros*, Madrid, Guadarrama, 1977, pp. 149-151.

C) *Muy característica de Miguel es asimismo la imagen que propuso Nicolás Guillén, quien lo dibujó en su época de miliciano.*

Imaginaos a un duro mocetón valenciano, campesino de Alicante, con la redonda cabeza pelada al rape, las manos grandes de quien ha trabajado mucho con ellas; los ojos verdes, llenos siempre de un asombro inefable; la nariz respingada, como la de aquellos rústicos deliciosos que ilustraban los cuentos infantiles de Calleja; la voz, cortante y recia; la piel, tostada por el férreo sol levantino. Todo ello sepultado en unos pantalones de pana ya muy trabajada y unas espardeñas de flamante soga y habréis construido rápidamente la figura de un gran poeta de la juventud revolucionaria española. Comisario Político del Regimiento del Campesino: la figura del camarada Miguel Hernández.

> Nicolás Guillén, «Un poeta en espardeñas. Hablando con Miguel Hernández», en María de Gracia Ifach (ed.), p. 59.

D) *Su atención a los pequeños acontecimientos de la vida familiar a los que Miguel no podía asistir por hallarse en la cárcel demuestra su amor de padre y de esposo. El más mínimo suceso, como la salida de los dientes de Manuel Miguel, provoca el entusiasmo del poeta, que luego convertirá en poesía.*

Ayer fue su cumplemeses y si hubiera podido lo hubiera felicitado. Manolillo mío, hijo: aunque tarde te felicito por tu octavo cumplemeses y te deseo una salud muy grande, tengo unas ganas muy grandes de oírte nombrarme y de verte y comerte esos dientes, esos cinco dientes que ya tienes y los que te han de nacer también. Vengo de recoger la carta que tu madre me envía, y me dice que eres muy listo y que no se te quita lo malo que te ha cogido. Si eres tan listo no sigas malo que yo por tonto me veo con esta enfermedad de cuatro meses. Pero no pasará mucho tiempo sin que me cure, aunque no de mi tontería porque esta enfermedad es de nacimiento, hijo.

> Fragmento de una carta a Josefina [5 de septiembre de 1938], en *Recuerdos de la viuda de Miguel Hernández*, p. 130.

2. HISTORIA LITERARIA

A) *La autopresentación del joven pastor como poeta ante Francisco Martínez Corbalán hace sonreír al crítico, que, tras leer algunos de sus poemas primerizos, se cuida muy bien de manifestar cuál fue su primera impresión.*

El muchacho —tiene veinte años— llega azorado y encogido. No es para menos. Lo que este joven moreno, de frente despejada y facciones enérgicas, tiene que decir es algo grave. Aun teniendo sus años, el lanzar el sustantivo que a él le bulle en el pensamiento encoge el ánimo. Acaso dentro de unos años —cuatro, cinco— lo proclame a voces por cafés y salas de redacción; luego, si es verdad, no será necesario que lo diga: lo dirán por él. Lo difícil es decirlo ahora, cuando todavía no lo sabe nadie más que él, cuando puede —¡ay, Dios!— estar equivocado. Por todo esto, que confusamente sabe o intuye, Miguel Hernández se presenta azorado y encogido.

Nosotros le estamos mirando con simpatía, y como vemos asomar por el bolsillo de su americana unas cuartillas, alargamos, sonriendo, la mano para que nos las entregue.

El muchacho tiene un momento de vacilación.

—Yo...

—Ya, ya comprendo. Usted trae una informacioncita. Y ahora tiene cortedad. ¿No es eso?

—No. Precisamente eso no. Yo... En fin: yo soy poeta.

Esta sencilla, esta inesperada y bella palabra nos ha llenado de perplejidad. Porque no estamos preparados para enfrentarnos así, sin más ni más, con un poeta. Claro que a él, al poeta, le ocurre lo mismo; tiene que confesar su lírica condición. Miguel Hernández se ha puesto en pie, ha sacado las cuartillas del bolsillo y nos las pone delante resueltamente.

Cuando un joven de veinte años alarga así sus primeras cuartillas, hay que tomarlas y leerlas.

Pues no están mal los versos. Y por si en este joven hay un poeta de verdad, adquirimos detalles de su vida.

> F. Martínez Corbalán, «Dos jóvenes escritores levantinos: el cabrero poeta y el muchacho dramaturgo», *Estampa*, núm. 215, Madrid, 22 de febrero de 1932.

B) *El pastor se lanza a la aventura de escribir un libro,* Perito en lunas, *con el que piensa alcanzar la fama definitiva. Todavía no sabe que la fama es muy esquiva, y cobra tributo.*

Ahora, más que pastor de las cabras paternas, es «lunicultor», «perito en lunas». Sin embargo, el ropaje neogongorino —a pesar de cuanto tiene de transmutación, milagro y virtud— deja entrever, por debajo de sus metáforas, una vena de poesía original en busca de expresión propia: se percibe el aliento de un poeta auténtico e induda blemente bien dotado, en proceso de crecimiento interior. Ciertas peculiaridades y giros, ciertas imágenes violentas, heridoras, forjadas por una perceptibilidad muy masculina, anuncian a un poeta de ley en trance de superación, pero también delatan al hombre de la tierra y al pastor. El tema central del libro se relaciona, desde luego, con la luna pero se enlaza tangencial o internamente con otras realidades: fuegos artificiales, alba y gallo, espantapájaros, cabras, lluvia, pozos, chumberas. No es una luna literaria, sino real, viva y sentida en el monte, en la huerta o en las calles oriolanas.

> Concha Zardoya, «El mundo poético de Miguel Hernández», *Ínsula*, 168, noviembre de 1968. Tomado de M.ª de Gracia Ifach (ed.), pp. 110-111.

C) *El poeta ha encontrado trabajo en Madrid, como secretario de Cossío, y ha ido invitado a la Universidad Popular de Cartagena, de donde no guarda más que bellos recuerdos. Pero, cortada momentáneamente su relación con Josefina, necesita un gran impacto para sacarlo de su atonía.*

Estoy pasando un tiempo de tristeza para mí. Me angustia seguir haciendo biografías de toreros sin importancia, y tengo ganas de que me suceda algo muy grave o muy dichoso. Madrid me cansa mucho. Cada día reconozco que no habemos más que mentirosos, envidiosos e idiotas. Acaba de aparecer en *Caballo Verde* un poema mío, que creo conocéis; me han prometido los Altolaguirre publicarme inmediatamente mi libro de sonetos, y estoy desalentado.

> Fragmento de una carta a Carmen Conde y Antonio Oliver, fechada en Madrid el 18 de octubre de 1935.

D) *El rayo que no cesa es fruto de la angustia que lo devora en ese año en que el amor lo consume como un fuego inextinguible.*

El rayo que no cesa no nació de una intención preconcebida, sino del intento por traducir lo que intensamente ocupaba su vida en esos meses; y lo que en esencia ocupaba su vida, sosteniendo sus fervores, era

el arrebatado sentimiento amoroso que daba mayor tamaño a su existencia, ocupándola casi por entero. [...] las fervientes eclosiones sociales que le rodeaban, la vivificante influencia de los nuevos amigos,
los trajines penosos que le exigían el sustento diario, el ir y venir sin
interrupciones por la ciudad agitada; todo eso que contribuye a dis-
persar el ánimo y a modificar cuanto creció con uno no mellaron su
disposición de fidelidad ante la muchacha amada que, desde una lu-
minosa distancia, le tironeaba con el recuerdo.

Elvio Romero, *Miguel Hernández, destino y poesía,* p. 64.

E) *El toro es elemento simbólico de primera categoría en la obra de Miguel Hernández, desde* Perito en lunas, *y no falta tampoco en su teatro.*

De esta composición de lugar resulta la recurrencia en la obra de
Miguel Hernández del símbolo de símbolos, o sea el toro, arquetipo
de violencia y generosidad, de virilidad y nobleza, de valentía sin as-
tucia ni disimulo, pariente del hombre por un destino común fundado en el amor, el dolor y la muerte como destino inevitable. La simbología táurica y taurina es un descubrimiento temprano en Miguel
Hernández. [...] Cuando la obra de Miguel Hernández se politice resueltamente, el arquetipo táurico se cargará de contenido colectivo, y
será símbolo del destino de todo un pueblo que padece y lucha poniendo su vida en juego.

Guillermo Carnero, ·*Las armas abisinias. Ensayos sobre Literatura y Arte del siglo XX*, Barcelona, Anthropos, 1989, p. 265.

F) *Juan Ramón Jiménez descubre en la poesía de Miguel un antídoto contra la
poesía artificial o artificiosa, en especial contra la de quienes se creen escribiendo auténtica poesía pura y están bien lejos de ella.*

Verdad contra mentira, honradez contra venganza. En el último
número de la *Revista de Occidente* publica Miguel Hernández, el estra-
ordinario muchacho de Orihuela, una loca elejía a la muerte de su
Ramón Sijé y seis sonetos desconcertantes. Todos los amigos de la

«poesía pura» deben buscar y leer estos poemas vivos. Tienen su empaque quevedesco, es verdad, su herencia castiza. Pero la áspera belleza tremenda de su corazón arraigado rompe el paquete y se desborda, como elemental naturaleza desnuda. Esto es lo escepcional poético, y ¡quién pudiera esaltarlo con tanta facilidad todos los días! Que no se pierda en lo rolaco, lo «católico y lo palúdico (las tres modas más convenientes de «la hora de ahora», ¿no se dice así?) Esta voz, este acento, este aliento joven de España.

Juan Ramón Jiménez, «Con la inmensa minoría», *El Sol*, Madrid, 23 de febrero de 1936.

G) *El joven poeta descubre que la poesía es también un arma de lucha, y se pone decididamente a practicarla con ese fin.*

Ya hacia 1935 había hecho Miguel Hernández su primer ensayo en un tipo de poesía que surgía de una profunda conciencia social y que cultivaban dándole sello de autenticidad Emilio Prados y Rafael Alberti. Aludo al poema «Alba de hachas», de calidad artística no muy lograda, pero de gran valor documental por ser el primer intento de poesía revolucionario brotado de la pluma de Miguel Hernández y por pertenecer a la vanguardia de este tipo de creación lírica en España. [...] En el aireado e inquieto ambiente de Madrid, al contacto con círculos manifiestamente revolucionarios, como el de Pablo Neruda y la revista *Octubre* en torno a Rafael Alberti, y tras el chispazo de la revuelta de los mineros de Asturias, que puso a la izquierda intelectual en pie de guerra, se decide a practicar este tipo de poesía.

Juan Cano Ballesta, «Miguel Hernández: poeta comprometido», en AA.VV., *En torno a Miguel Hernández*, pp. 214-215.

I) *Miguel se hace poeta que clarifica y defiende las ideas del pueblo, de ahí que su obra en tiempo de guerra pueda considerarse «poesía civil».*

Llamo «poesía civil» y no «poesía social» como se suele o se solía escribir a menudo en España a la de Miguel Hernández; no poesía «de circunstancia» o de una o de varias oportunidades relevantes; unos versos, en todo momento, que sirven para expresar indignación, rebelión o sed de justicia en unas situaciones de lucha encarnizada y, aunque encarnizada, legítima y justa, y, en otros momentos, de rebelión contra la opresión y la injusticia. No, poeta civil, en mi opinión significa esto: poeta que quiere vivir y representar la voz general de la mayoría o de la supuesta mayoría popular de su país. [...] El poeta civil incluye naturalmente al poeta social, pero quizás lo supera, al menos en el sentido de querer expresar varias capas sociales y varios ambientes humanos: algo que configure de alguna forma un pueblo, un conjunto de poblaciones y, en resumen, una nación en su sustancia histórica, presente, y aun en su paisaje.

> Darío Puccini, «Miguel Hernández: la formación del poeta civil», en *Miguel Hernández, cincuenta años después*, tomo I, p. 116.

J) *El poeta de Orihuela se sintió verdaderamente tocado por una musa especial cuando se echó a cuestas la carga que suponía convertirse en el poeta del pueblo.*

Quedan en *Viento del pueblo* los primeros testimonios de una voz más libre y capaz de más abiertas resonancias. La expresión de Hernández se hace aquí más neta y natural, y busca formas de más espontáneo nacimiento, más fieles, en suma, a la realidad de lo cantado. [...] Aunque haya además de los señalados otros elementos caedizos, circunstanciales, y aunque aquí y allá asome aún el preciosismo decorativo de un rostro pálido y secundario, se equivocará quien vea en *Viento del pueblo* el fruto transitorio de una situación de urgencia y no del resultado de una revelación definitiva.

> José Ángel Valente, «Miguel Hernández: poesía y realidad», en *Las palabras de la tribu*, Madrid, Siglo XXI, 1971, p. 192.

K) *Miguel, que está en medio de un terrible conflicto bélico, se siente cercado por varios tipos de asechanzas. Todo indica que milita en el bando perdedor, y no ve salidas a su realidad de hombre y de poeta. Pese a todo, no da un paso atrás.*

El hombre acecha es libro de afirmación, de continuidad, de convalidación. La maestría técnica se afina y la sustancia temática no llega nunca a empobrecerse ni a estrecharse. El tema es duro, muy duro, pero ¿no lo eran las condiciones de vida y esperanza? ¿Cómo zafar al poema de esas circunstancias tan trágicamente humanas? La poesía no puede huir llegado el momento; también a la poesía se le pueden pedir cuentas. Y Miguel Hernández estampaba su firma valentona, ahondadora. El sol puede pegarle bien en veranos levantinos y la sangre también se pega, y seca, en las miradas siempre nuevas del hombre de poesía. No hay engaño posible, es la respuesta de la apacible ternura del hombre que lucha y que ya tiene hogar completo: la morada con mujer e hijo.

> Jacinto-Luis Guereña, *Miguel Hernández. Poesía*, Madrid, Narcea, 1973, p. 118.

L) *El* Cancionero y romancero de ausencias *suele considerarse como un diario íntimo, motivo por el cual Miguel tiende a reducir la forma de los poemas que contiene.*

Tiende Miguel Hernández en el *Cancionero*... a una clara síntesis conceptual y lingüística, con notoria reducción de formas (eliminación de signos gráficos, elisión de elementos gramaticales, etc.), que diferencia esta poesía de la que había escrito hasta entonces y de los poemas llamados *últimos*. Esta observación permite insistir en el carácter de diario íntimo. La reducción conceptual y lingüística, que no está reñida con un entrañamiento de lo metafórico (un poema del *Cancionero*... no es muchas veces sino una metáfora), personaliza el poema al máximo, lo «intimiza». Se trata de un aspecto esencial de la mejor poesía lírica.

> Leopoldo de Luis y Jorge Urrutia, «Introducción» a M. Hernández, *El hombre acecha. Cancionero y romancero de ausencias,* Madrid, Cátedra, 1995, pp. 76-77.

M) *Miguel siempre tiene en cuenta el mundo que lo rodea, tanto en sus aspectos positivos como en los negativos. Por eso, a lo largo de su trayectoria poética, distinguimos varias maneras de interpretarlo.*

Hay tres etapas en la visión del mundo exterior de Hernández. Una primera etapa de visión directa, cuando escribe en el campo; es una etapa de felicidad, de ingenuidad a veces, que se funde con la tradición bucólica. Una segunda etapa de alejamiento, cuando se siente desarraigado en Madrid; es un período de descubrimiento de la profundidad de su apego, de renovación de lo bucólico tradicional. Una tercera etapa de privación de libertad, cuando vive encarcelado; es la visión de la realidad pasada a través de la imaginación que actualiza el recuerdo, con dos matices: la esperanza del regreso, y la desesperación. La emoción es cada vez más sentida, la palabra poética más auténtica y original, el tono más patético y conmovedor.

Anne Marie Couland, «Miguel Hernández, aprensión y utilización sensorial del mundo exterior», *Annales de la Faculté des Lettres et Sciences humaines de Nice*, núm. 23, septiembre de 1975, p. 281.

N)   *El poeta dejó algún texto sobre su concepción de la poesía y el poema:*

—El lector: —¿Qué es el poema?
—El poeta: —Una bella mentira fingida. Una verdad insinuada. Sólo insinuándola, no parece una verdad mentira. Una verdad tan preciosa y recóndita como la de la mina. Se necesita ser minero de poemas para ver en sus etiopías de sombras sus indias de luces. Una verdad verdadera que no se ve, pero se sabe, como la verdad de la sal en situación azul y cantora. ¿Quién ve la marina verdad blanca? Nadie. Sin embargo existe, late, se alude en el color lunado de la espuma en bulto. ¿El mar no evidente, sería tan bello como en su sigilo si se evidenciara de repente? Su mayor hermosura reside en su recato. El poema no puede representársenos venus o desnudo. Los poemas desnudos son la anatomía de los poemas. ¿Y habrá algo más horrible que un esqueleto? Guardad, poetas, el secreto del poema: esfinge. Que sepan arrancárselo como una corteza. ¡Oh, la naranja: qué delicioso secreto bajo un ámbito a lo mundo! Salvo en el caso de la poesía profética en que todo ha de ser claridad —porque no se trata de ilustrar sensaciones, de solear cerebros con el relámpago de la imagen de talla, sino de propagar emociones, de avivar vidas—, guardaos, poetas,

de dar frutos sin piel, mares sin sal. Con el poema debiera suceder lo que con el Santísimo Sacramento... ¿Cuándo dirá el poeta con el poema incorporado a sus dedos, como dice el cura con la hostia: Aquí está DIOS y lo creeremos?

> «Mi concepto del poema. (Pregunta y respuestas del lector y del poeta)», *Papeles de Son Armadans,* núm. 69, diciembre de 1961, p. 342.

Ñ) *La imagen de Miguel Hernández a finales del siglo XX está desprendiéndose de todo tipo de tópicos.*

Lo que en sustancia se rechaza [...] es la imagen de un Hernández inmóvil en su fisionomía inicial de «pastor poeta» o «poeta pastor», arcaico y casi *naif*, o exuberante y ampuloso, como resulta, por ejemplo, de la crítica de un Cernuda: esto es, de una acentuación de sus atributos de «fogosidad» y de «retórica fácil», o bien, en una zona mucho más rigurosa, cuando se subrayan desmedidamente los vínculos de Miguel con la «poesía mística y telúrica» [...]. Lo que, por el contrario, se sostiene positivamente y siempre con la ayuda de sus últimas obras, es la presencia plena de nuestro poeta en el concierto de la poesía contemporánea (hasta en Blas de Otero, por ejemplo), y en reconocer que «en él se da un hondo sentimiento trágico de la vida, no motivado por consideraciones metafísicas» sino arraigado en experiencias y premoniciones existenciales.

> Darío Puccini, «El último mensaje de Miguel Hernández». Tomado de María de Gracia Ifach (ed.), p. 236.

Orientaciones para el estudio de la poesía de Miguel Hernández

1. Período de aprendizaje

Los estudiosos de la obra del poeta de Orihuela suelen distinguir, como queda dicho en la Introducción, cuatro o cinco etapas o períodos sucesivos, basándose para ello especialmente en los temas abordados en cada una, aunque sin desestimar otros factores, bien de tipo biográfico, bien de tipo estilístico.

He optado en el texto introductorio por la subdivisión en cinco fases que se corresponden con su actividad poética: *a)* aprendizaje; *b)* afirmación; *c)* confirmación; *d)* derivación; *e)* despedida.

El período de aprendizaje sitúa al poeta en su Orihuela natal, descubriendo la magia de la poesía, enamorándose de ella hasta los tuétanos, buscando momentos para entregarse a la lectura con pasión.

Inicia su formación intelectual dando golpes de ciego al principio, pero pronto bajo la supervisión de don Luis Almarcha y de Ramón Sijé. Pasa de la lectura a la escritura casi de inmediato, ejercitándose en diversos metros y estrofas, aprendiendo sobre la marcha, con prisa, como si supiera que no disponía de mucho tiempo para formarse. Como si previera que su vida iba a ser corta. Estaba necesitado de rodaje, y lo hacía a marchas forzadas, porque quería subirse al tren de las vanguardias, que ya había alcanzado notables metas.

De esta fase, que algunos críticos prefieren sumar a la inmediata, quedan algunas muestras de interés, como el poema «Cancioncilla», «Soneto lunario», «¡Marzo viene...», «A los libros bellos», etc.

El contacto con la Naturaleza convierte a Miguel en un archivo viviente, conocedor exhaustivo de los elementos naturales (plantas, animales, estaciones del año, épocas de celo, fenómenos meteorológicos, etc.).

«Cancioncilla», uno de sus primeros textos, incluye una serie de animales de distinta índole. Enumérense. Compárense con los que tienen cabida en «Soneto lunario». «Cancioncilla» también aporta seres vegetales de diversa categoría. Un par de estudios de gran interés sobre estos aspectos podrían ser efectuar un catálogo de plantas y otro de animales a lo largo no sólo de esta etapa hernandiana, sino de toda su obra.

Puede servir de modelo el estudio de María Payeras «Apuntes sobre el bestiario hernandiano», en *Miguel Hernández, cincuenta años después*, cit., pp. 471-478.

Como cualquier poeta, Miguel sentía la necesidad de dar a conocer sus poemas. Lo hace, y bien pronto, entre los amigos de su círculo —la panadería de los hermanos Fenoll—, pero eso no era suficiente. El 13 de enero de 1930, cuando sólo contaba 19 años, y muy pocos como poeta aficionado, publicó «Pastoril» en *El Pueblo de Orihuela*. Se trata de un texto datado «En la huerta, 30 de diciembre de 1929». Las primeras estrofas sirven como muestra de sus intereses y lecturas de entonces: «Junto al río transparente / que el astro rubio colora /

y riza el aura naciente / llora Leda la pastora. // De amarga hiel es su llanto. / ¿Qué llora la pastorcilla? / ¿Qué pena, qué gran quebranto / puso blanca su mejilla? // ¡Su pastor la ha abandonado! A la ciudad se marchó / y solita la dejó / a la vera del ganado. // ¡Ya no comparte su choza / ni amamanta su cordero! / ¡Ya no le dice: «Te quiero», / y llora y llora la moza.»

Obsérvese la pobre adjetivación: astro rubio; aura naciente, amarga hiel; blanca mejilla. Ninguno de los adjetivos añade cualidad alguna a los sustantivos que acompaña. Puede compararse con la adjetivación de cualquier poema de *Perito en lunas* o de *El rayo que no cesa*.

Tampoco el tema es original. A pesar de su incursión en la mitología —Leda—, el poema no desborda los márgenes de la poesía popular.

La rima —forzada— y la obligada medida de los versos invitan al poeta a utilizar diminutivos —*pastorcilla, solita*— que disminuyen el valor del poema. Sin ser poesía infantil, se aproxima a ella.

Adviértase el uso de términos populares, mientras otros pueden considerarse cultos.

En la mayor parte de los poemas de esta época surge la figura de un pastor o una pastora. Ya había leído a Virgilio y a Garcilaso, y tenía que haber encontrado en ellos, y en otras obras, motivos pastoriles que a buen seguro lo llenaron de gozo.

El dulce lamentar de Salicio y Nemoroso puede tener algo en común con el poema. Pero no es menos cierto que el tema del abandono de la amada es recurrente a lo largo de toda nuestra poesía. Cuando Hernández hace lamentarse a la pastorcilla cuya identidad rural pretende camuflar bajo el nombre mítico de Leda no hace sino incorporarse a la poesía cancioneril, a la poesía tradicional española de la que él, en buena

medida, parte, y a la que volverá en los últimos compases de
su producción.

> «La campana y el caramillo» presenta la vieja problemá-
> tica del pastor, para quien no existen fiestas, ya que el ga-
> nado debe cuidarse durante todos los días del año.
>
> Obsérvese la estructuración del poema, en torno a una
> serie de instrumentos musicales —¿cuáles son?— que el pas-
> tor reconoce y le evocan el acontecimiento festivo.
>
> Recuérdese el mito de Pan. Compárese con el de Apolo en
> cuestiones musicales.
>
> Un estudio de los instrumentos musicales que tienen ca-
> bida en el texto descubre que Miguel se preocupa por pro-
> poner distintos tipos. ¿Cuáles?
>
> Además de los instrumentos, ciertos términos completan
> los aspectos sonoros del poema. Señálense.
>
> ¿Puede suponerse que el poeta está contento con su suer-
> te? ¿Por qué?
>
> ¿Qué supone la soledad para el joven poeta que se en-
> carna en el pastorcillo del poema?

El poema «Un gesto del alba» se basa en un fruto propio
de la zona, y que tendrá cabida repetidamente en la poesía de
Miguel Hernández, como es la granada. Cabría considerar que
el poeta oriolano está mirando a sus raíces árabes, cosa que hará en determinadas ocasiones.

Hay que recordar, con todo, que en el número 4 de la revista *Verso y Prosa,* que había fundado en 1927 Juan Guerrero
Ruiz en Murcia, Jorge Guillén publicó una traducción del poema *Les grenades,* de Paul Valéry. Es posible que el joven poeta
tuviera ocasión de leer el texto, lo cual le animaría a utilizar
la granada como referente metafórico o como tema poético.

Analícese la construcción de «Un gesto de alba».

Estúdiese la puntuación, especialmente los signos de admiración, y la situación del principio y el final del paréntesis.

Puede intentarse una imitación del poema utilizando como referente otro fruto.

Un ejercicio de cierto interés sería efectuar un recorrido por la poesía de Hernández para localizar de qué maneras utiliza la granada como referente.

Otra de las fuentes en este primer período hernandiano es Antonio Machado, como puede verse en «Día armónico». Pero el poeta oriolano acudió en esa etapa a muchas lecturas, que en ocasiones hacen difícil la absoluta identificación de sus maestros. Con todo, Rubén Darío, Juan Ramón Jiménez, el propio Machado, Unamuno, son los poetas más próximos en el tiempo a los que acude, aunque Guillén influye enseguida sobre el joven poeta, que se ejercita para capacitarse como tal.

Entre los textos que denotan el «ejercicio» del poeta novel puede considerarse «Las vestes de Eos», donde practica los versos de menor número de sílabas.

Compárese el texto con algunas canciones de Espronceda, en las que el poeta extremeño utiliza versos de muy pocas sílabas, como la conocida «Canción del pirata», «El mendigo», etc.

También con «Otoño, pericia», de la primera edición de *Cántico* (1928), de Jorge Guillén, puede tener algún aspecto en común. Búsquese el poema y compárese el verso 8 con el 42 de «Las vestes de Eos». ¿Qué otro motivo tienen en común ambos poemas?

Miguel, en este período, intenta todo tipo de metros, ritmos, figuras, rimas. A veces se muestra atrevido, como en «(Soledad)», cuando introduce un encabalgamiento sirremático del tipo *artículo + sustantivo:* las siestas.

El poema «¡Marzo viene...», firmado en la huerta el 28 de febrero de 1930 —y publicado el 10 de diciembre de ese mismo año en *El Pueblo de Orihuela*—, es uno de los pocos ejemplos en que practica el verso dodecasílabo, y ha de admitirse que, aunque no soluciona algunos pequeños problemas, sabe salir airoso en el ejercicio.

Las cuatro primeras estrofas son como sigue:

> ¡Marzo! ¡Viene Marzo...! El astro de rubios
> cabellos, la huerta satura y orea.
> Son las brisas tibias y llenas de efluvios...
> ¡Marzo! ¡Viene Marzo! ¡Bienvenido sea!
>
> El amplio horizonte no ostenta vellones   5
> de nieblas, ni nubes de colores densos:
> los grandiosos cielos, regios pabellones,
> son diáfanos, puros azules intensos.
>
> Las flores despiertan de su frío sueño
> abriendo a los besos del sol sus corolas;   10
> sobre los sembrados de verdor risueño
> florecen sangrientas miles de amapolas.
>
> El ruiseñor teje la canción primera;
> el límpido arroyo musical suspira...
> El vaho perfumado de la primavera   15
> en ráfagas cálidas por doquier se aspira.

Defínanse los encabalgamientos que se producen entre los versos 1/2, 5/6. Puede servir para este ejercicio el libro de Antonio Quilis *Métrica española,* Barcelona, Ariel, 1984 y ss.

Se encuentran asimismo algunos encabalgamientos entre hemistiquios. Véanse los de versos 6, 8, 9, 10, 11, 14, 15. Analícense.

Los adjetivos del poema ¿añaden algo a sus nombres respectivos? ¿Hay excepciones? ¿Cuáles?

2. Período de afirmación

Miguel ha descubierto ya la poesía de los aún jóvenes poetas del 27, cuyos hallazgos aplaude y empieza a imitar. Como ellos, convierte en modelo a Góngora, cuyo empaque culterano observa como el no va más de la poesía. El retorcimiento formal, el hermetismo metafórico del poeta cordobés es para el poeta novel la meta a alcanzar.

Como el autor de *Soledades,* o como sus discípulos del 27, Hernández se propone un objetivo: ser poeta profesional. No un poeta de circunstancias, no un poeta dominguero o de ratos libres. Pretende llegar a ser conocido y —esto es más difícil— reconocido como poeta. De oficio: poeta.

Está en el buen camino, leyendo a sus contemporáneos, a través de libros y revistas —sin duda *Verso y Prosa*— del momento. Abandona poco a poco las formas tradicionales, y deja atrás los ya gastados surcos del Modernismo, que, con Rubén Darío a la cabeza —véase el poema «Balada de la juventud»—, habían sido puntos de apoyo de su poética. Tiene que aquilatar su expresión, y tiene que buscar fórmulas nuevas, rotundas y plásticas.

Practica, especialmente, la octava clásica, de tinte gongorino, pero también otras fórmulas, entre ellas la décima, en la que tiene como maestro a uno de los poetas que más influyen en él durante los dos primeros períodos: Guillén. A éste habrá que sumar, desde luego, Gerardo Diego y Alberti.

No abandona, por fortuna, el copioso caudal de elementos naturales que habían nutrido hasta ese momento su creación. El poeta, que se considera «lunicultor», no está en la luna, pese a que ella le sirva de referente. Se lanza, desasistido de consejo, a un viaje poético del que pudo salir malparado y salió con un bagaje muy digno. Cuando compone *Perito en lunas* afirma que tiene madera y que está haciendo todo lo posible por alcanzar una buena nota.

Acaba de definir lo que es *poesía* en un largo texto así titulado, «Poesía» («Poemas sueltos», 18); aunque en ese instante estuviera lejos de los planteamientos de *Perito en lunas*.

> Una vez leído «Poesía», inténtese extractar la definición de *poesía* que tiene Hernández en ese momento.
>
> Compárese con algunas definiciones de «poesía» puestas en boca de Gustavo Adolfo Bécquer.
>
> ¿Qué conocimientos teóricos sobre la poesía se advierten en el poema? Cotéjese el poema con el texto N del apartado «Documentos y juicios críticos».
>
> Quizás conocía Miguel la conferencia de García Lorca sobre «La imagen poética de Don Luis de Góngora» que había leído en el Ateneo granadino el 13 de febrero de 1926; o la titulada «Imaginación, inspiración, evasión», el 12 de octubre de 1928, que luego repitió en la Residencia de Estudiantes; difícilmente pudo conocer la titulada «Teoría y juego del duende», a no ser por recortes de prensa. Puede hacerse un estudio comparativo.

Con *Perito en lunas* [1] entra definitivamente en su poesía el tema del toro, convertido en símbolo de la fuerza, de la virilidad, del hombre, del español, y trasunto del propio poeta. La luna es, como referente metafórico, el descubrimiento transcendental del libro.

> Los poemas «(Toro)», *PL*, 1, «(Torero)», *PL*, 2 aportan un considerable número de cuestiones referidas a la fiesta de los toros. Extráctense.

---

[1] Citaré *Perito en lunas* con las siglas *PL*, seguidas por el número que cada poema lleva en esta antología.

Véanse en esos textos y en «(Palmera)», *PL*, 3, «(Horno y luna)», *PL*, 8, los elementos lunares.

No abandona, queda dicho, los referentes rurales, de tal modo que, aunque las formas sean neogongorinas, en el fondo de cada composición late una Naturaleza magnífica donde a veces hay hombres —toreros, borrachos, negros, labradores— y mujeres —danzarinas, monjas, gitanas, lavanderas—. En la que no faltan, por supuesto, plantas —granados, vid, trigo, pita, higuera, cáñamo, mimbres, chumbera, cañas—; flores —narciso, azahar—; frutos —sandía, limón—; animales —gallo, potro, serpiente, canario, oveja, palomos, cigarras—; el mundo mineral —oro, diamante, rocas, río, cristales— y un espantapájaros, a mitad de camino entre el mundo animado y el inanimado.

En un artículo donde Umbral no deja precisamente bien parado a Miguel Hernández por haberse decantado por el neogongorismo tardío que supone *Perito en lunas,* admite que lo que salva al poeta oriolano, «lo que salva su poesía, es el retorno sentimental y poético a las cosas, tras el amancebamiento con las palabras». [2]

Léase «(Palmera)», *PL*, 3. Obsérvese cómo el poeta acude a diversas fórmulas expresivas de tipo metafórico —cosificación, animalización— y anótense.

Cae en algunas trampas, desde luego, como son las de aceptar términos poco usuales, que resultan un tanto chocantes —*principia*—, y, por supuesto, la *e* paragógica a final del verso 3.

[2] Francisco Umbral, «Miguel Hernández, agricultura viva», en *Cuadernos Hispanoamericanos*, núm. 230, febrero de 1969. Tomado de María de Gracia Ifach, *Miguel Hernández,* cit., p. 91.

Recuérdese en qué consiste esta licencia métrica, y cuál es su procedencia. Pueden buscarse ejemplos en el *Poema de Mio Cid*.

La huella de Góngora es evidente.

Durante ese período Miguel tiene muy presente la educación religiosa que ha recibido, tanto como la ideología de Ramón Sijé, a quien dedica el libro utilizando para ello un fragmento sobre la poesía escrito por el amigo.

Por ello, en *Perito en lunas* tiene cabida la religión —Dios, la Virgen María, pasajes del *Antiguo Testamento*—, etc., y no podía faltar el tema del sexo, motivo de honda preocupación para el poeta.

El tema del sexo surge en *Perito en lunas* con fuerza, incorporando, además, como se advirtió en la Introducción, algunos aspectos nuevos. Éstos pueden observarse en «(Sexo en instante, 2)», *PL*, 4, y en la octava que, precedida por una cita de Góngora y otra de Guillén, se anota a continuación «(Sexo en instante, 1)»:

> A un tic-tac, si bien sordo, recupero
> la perpendicular morena de antes,
> bisectora de cero sobre cero,
> equivalentes ya, y equidistantes.
> Clama en imperativo por su fuero,
> con más cifras, si pocas, por instantes:
> pero su situación, extrema en suma,
> sin vértice de amor, holanda espuma.

Se trata de un asunto espinoso, que algunos críticos se niegan a decodificar: el de la masturbación, evidente en el tic-tac inicial de la estrofa.

El tic-tac, con otro sentido, tiene cabida en diversos poemas

hernandianos. Así en «Reloj rústico», de sus primeros poemas, y en «(La granada)», *PL*, 6.

No es Miguel, desde luego, el único en utilizar la expresión onomatopéyica. F. García Lorca lo usa en «La selva de
los relojes»: «Frondas de tic-tac, / racimos de campanas / y,
bajo la hora múltiple, / constelaciones de péndulos.»

El poema «(Sexo en instante, 1)» descubre, en la imagen
de la *morena*, el miembro viril en erección; los testículos, en
cero sobre cero; la eyaculación, en *holanda espuma*, etc.

Compárese este poema con «(Sexo en instante, 2)», y se
observarán, con las claves aportadas en este recuadro, algunas similitudes entre ambos textos.

Dentro del tema sexual hay que incluir el poema «(Negros
ahorcados por violación)», donde incorpora algunos ingredien-
tes que no abandonará en ningún momento, como la higuera,
símbolo masculino, o los higos, como testículos.

La violencia que tiene cabida en «(Negros ahorcados por
violación)» surge también en otras octavas de *Perito en lunas,* ya
en simples expresiones —«a navajazos», de «(Panadero)»; «hiriente punta», de «(Surco)»; «las armas blancas de las dentaduras», de «(Gitanas)»; «halladas asechanzas», de «(Noria)»—, y
en dos poemas, «(Crimen pasional)» y «(Guerra de estío)», que
no he seleccionado en esta antología. Pueden considerarse antecedentes de su poesía de guerra.

De la etapa en que preparó textos para *Perito en lunas* se conservan un buen número de poemas —algunas muy buenas octavas y décimas— en diversos metros. Varios iban a tener cabida en el libro, pero los límites de la colección invitaron a Miguel
a efectuar una selección que, siendo significativa, resulta escasa.

En los agrupados bajo el título «Ciclo de *Perito en lunas*»[3] halla-
mos similares preocupaciones, motivos, temas, de *Perito en lunas,*

---

[3] Citaré *CPL*, con el número que le corresponde en la antología.

aunque en algunos se le nota aún influenciado por la poesía tradicional, por el Modernismo, etc. Pero incluso en éstos hay señales de neogongorismo. Éste, sin embargo, resulta más claro en las décimas.

Compárense las décimas «Naranja», *CPL*, 7, y «Limón», *CPL*, 8.

Obsérvese que en la primera de las décimas, de no haber puesto el título, funcionaría como una especie de adivinanza. En la segunda, por el contrario, repite el elemento objeto del poema tres veces en un mismo verso.

¿Puede tener algo en común con la «Adivinanza de la guitarra» de *Poema del cante jondo* de Lorca?

Contrástense los textos de Miguel Hernández con el del poeta granadino. No se olviden las metáforas gongorinas que éste utiliza en su poema.

Puede intentarse la composición de una décima, ya tomando las de M. Hernández como modelo, ya utilizando para ello algunas de Jorge Guillén.

Atento como está a los asuntos rurales, no desaprovecha la ocasión que le brinda el ejemplo de Alberti para componer una elegía a Manuel Soler Muñoz, guardameta del equipo «La Repartidora» (*CPL*, 9), que, al parecer, Miguel había fundado y para el cual habría compuesto un himno. En el largo poema utiliza la lira, que era el modo de expresión más frecuente en San Juan de la Cruz y Fray Luis, aunque había sido importada a nuestra lírica por Garcilaso.

Efectúese un estudio sobre la lira y las estrofas aliradas. Puede servir para ello el libro de Tomás Navarro Tomás *Métrica española*, Madrid, Guadarrama.

A partir de ahí pueden analizarse las distintas variantes que Miguel utiliza en esta composición. Adviértase que toma vocablos del inglés, idioma que desconocía entonces.

Otra estrofa próxima, el cuarteto alirado, le sirve para la «PRIMERA LAMENTACIÓN-de la carne», *CPL*, 12, aunque la compone en rima asonante. Refleja en ella su lucha interna con los preceptos que le impone la religión en materia del sexto mandamiento, como puede comprobarse con una rápida lectura.

Sobre asuntos religiosos, sin duda influenciado por el neocatolicismo de Ramón Sijé, que en esta etapa ejerce sobre Miguel un poderoso dominio ideológico, surgen una serie de poemas, algunos de los cuales fueron destinados a la revista *Gallo Crisis*.

Claude Couffon reproduce una entrevista realizada al abogado oriolano don José Martínez Arenas, de donde extracto unos párrafos: «El verdadero nombre de Ramón Sijé era José Marín Gutiérrez. [...] Era un mozo de salud delicada, muy feo, pero dotado de una inteligencia excepcional. Había hecho sus estudios secundarios con los jesuitas del Colegio de Santo Domingo, siguiendo luego cursos de Derecho en la Universidad de Murcia. [...] salía poco, pero leía mucho. [...] Era un joven de una gran vida espiritual, hipersensible, atenaceado sin cesar por su inquietud y sus angustias interiores. [Para muchos él es sobre todo el fundador de la revista *Gallo Crisis* que] tuvo una duración efímera pero fecunda. [...] Era una revista de inspiración católica, pero en la cual ciertos textos desconcertantes eran de tal naturaleza como para hacer fruncir las cejas a más de un teólogo rigorista. [...] respondía a esa necesidad de confrontar las viejas convicciones tradicionalistas y las ideas revolucionarias introducidas a partir de 1931 por la República», *Orihuela y Miguel Hernández*, Buenos Aires, Losada, 1967, p. 31.

Léanse los poemas «A María Santísima. En el misterio de la Asunción», «El silbo de la llaga perfecta», «NIEBLA-Dios y poemas», NUBES-y arcángeles, «CÁNTICO-corporal (Yo en busca de mi alma)» «MAR y DIOS», números 1, 4, 6, 7, 12 y 13 del apartado «Poemas publicados en *El Gallo Crisis* y *Silbos*».

Estúdiense a la luz del texto tomado de Couffon, y entáblese un debate sobre el tema de la religiosidad en esta etapa de Miguel Hernández. Puede plantearse en torno a puntos como «religión y vida», «el sexo y la religión», «visión de Dios», «seres del más allá», «cuerpo y alma», «la Virgen María», «el influjo místico en el primer Hernández», etc.

Buena parte de la crítica considera que esta etapa de Miguel concluye cuando conoce a Josefina, que le va a inspirar sus primeros poemas amorosos. Esto es, en el período en que compone *El silbo vulnerado* e *Imagen de tu huella,* que no llegaron a ver la luz como libros, pero que resultan el paso previo a *El rayo que no cesa.*

El puente muy bien pudiera ser «Primavera celosa» (número 15 de «Poemas sueltos, II»), escrito en redondillas de rimas cruzadas, donde luchan a brazo partido la tradición con la vanguardia.

3. Período de confirmación

Hacia 1934 Miguel no sólo está convencido de su vocación de poeta —que venía de muy atrás— sino de que ése es su oficio. Lo demás —trabajo, familia, amigos—, es coyuntural, por muy importante que parezca.

Se había declarado poeta mucho tiempo antes, en la entrevista que le hizo Francisco Martínez Corbalán, y, aunque hubo de dar marcha atrás y regresar a su Orihuela natal, tenía ideas más claras de por dónde debía transitar. El contacto con la gran urbe, con sus gentes, con su problemática, le permitió descubrir un mundo muy ancho y muy ajeno, pero no por ello menos apetecible para poder dar el salto al reconocimiento nacional de su valía como escritor.

Ha pasado por su tierra y vuelve a Madrid, donde le espera la gloria o el fracaso. Está dispuesto a depurar su obra de todo tipo de adherencias, siguiendo el consejo de algunos buenos o nuevos amigos —Neruda, Aleixandre— que ven en los posicionamientos de *El Gallo Crisis* y en el influjo de Góngora —siete años después del tricentenario— algo trasnochado y con ninguna novedad que aportarle.

Inicia un perceptible movimiento de aproximación hacia el poeta chileno y hacia Quevedo, que se convertirá en modelo de su próximo libro, si bien no abandona a los poetas del 27, a algunos de los cuales ha visto e incluso le han presentado; y, por supuesto, a Garcilaso.

Conocer a Josefina supuso salir de su mirada de pastor-poeta y empezar a convertir a la amada y a sí mismo en objeto de reflexión poética: será el amante-poeta. Puede decirse que hasta ese momento había cantado lo que estaba en su entorno geográfico; entre 1934 y 1936 va a cantar a la amada, su relación con ella y su propio sentir: se produce su confirmación como poeta, que se constatará muy pronto, en cuanto Altolaguirre publique *El rayo que no cesa*.

No significa, desde luego, que se olvide de sus raíces; significa que profundiza en el análisis del mundo a través de la introspección. Del poeta-vigía pasará al poeta espía. Aquél, podría decirse, se limitaba a contar; éste interpreta, se interpreta. Y, sobre todo, empieza a transformar en poesía el dolor que la ausencia de la amada —por lejanía o por falta de relación erótica— le produce.

Léase «VIDA-invariable», [4] donde ya se advierte el estudio de sí mismo, de su situación como hombre, donde señala la dicotomía en que se ha encontrado tantas veces: pastor y

---

[4] Número 1 de «Sonetos pertenecientes al ciclo de *El silbo vulnerado*». Citaré desde ahora *CSV*, con el número correspondiente en esta antología.

poeta. En «SEÑALES-de vida», *CSV*, 2, vuelve sobre el mismo tema, pero introduce el de la amada, si bien todavía con connotaciones bucólicas.

«OFICIO-adánico», *CSV*, 3, incide en semejantes asuntos, pero asume mayor protagonismo la amada. Compárese con «Soledad», número 9 de «Poemas sueltos, I».

Sobre el mismo tema existe otro soneto, «SOLEDAD-montés» que no se ha incorporado a esta antología.

La soledad, que significa la no presencia de otros seres humanos, se configura, en especial, en la ausencia de la persona amada. Esa soledad específica es la que produce el dolor, el más alto de los dolores, el que lo invita a escribir algunos de los mejores sonetos de esa etapa, como «DOLENCIAS-altísimas», *CSV*, 5.

¿Tiene algo que ver el sentimiento de pena de «DOLENCIAS-altísimas con el de la pena que tantas veces cantó García Lorca? Compárese con algún texto del poeta granadino.

Queda dicho antes que entre la etapa de afirmación y la de confirmación como poeta, un texto amoroso puede servir de puente. Pero la etapa de confirmación, que alcanza su cota máxima en *El rayo que no cesa,* no se limita a este único libro, como también se advirtió.

En 1934-1935 Miguel trabaja en un conjunto de textos de diversa configuración formal y sobre distintos temas. Tenía intención de publicar un primer conjunto bajo el título *El silbo vulnerado,* [5] para el que había pensado como ilustrador en Benjamín Palencia.

Las poemas de ese ciclo utilizan muchas veces símbolos, metáforas, alusiones; de tipo religioso, incluso de tipo místico.

---

[5] Citaré a partir de ahora con las siglas *SV* y a continuación el número que cada poema lleva en esta antología.

Distínganse símbolos, metáforas, alusiones místicas, etc., en poemas como *SV*, 2; *SV*, 3; *SV*, 4.

Adviértase que el poeta no relega al olvido los elementos campesinos. Siguen ejerciendo como principio o fin de metáforas, de símbolos, de comparaciones.

Señálense en esos sonetos.

Es evidente que el poeta se esfuerza con el lenguaje, no sólo por encontrar la palabra exacta, la expresión más oportuna, una fórmula brillante. Ahora, incluso, se plantea la posibilidad de convertirse en creador de vocablos, como si el lenguaje le resultase insuficiente, algo, pues, en común no sólo con los místicos, sino con la mayor parte de los grandes poetas de todos los tiempos, que se han sentido incapaces de convertir en palabras y frases sus experiencias. Porque las palabras del diccionario difícilmente superan el ámbito lingüístico para el que han sido creadas.

Quizás por imitación de Quevedo, acaso por un prurito de esnobismo, tal vez por practicar o por probarse a sí mismo, Hernández introduce en los poemas de esta época términos compuestos que a veces resultan novedosos.

Localícense estos términos compuestos en los poemas *SV*, 6; *SV*, 10; *SV*, 12. ¿Qué sentido tienen?

El poema «PENA-bien hallada», *CSV*, 14, puede considerarse el máximo exponente de esta tendencia. Analícense los compuestos desde el punto de vista semántico y métrico. Obsérvese que no todos ellos están formados por palabras de categorías idénticas.

Compárense los términos compuestos de *SV* con los de *CSV*. ¿A qué conclusiones nos llevan?

Sobre este asunto se puede consultar José María Balcells, «Estructuras correlativas de Miguel Hernández», en M.ª de

Gracia Ifach (ed.), *Miguel Hernández,* pp. 146-154, especialmente 149.

Un ejercicio de cierto interés sería el de formar vocablos compuestos con diversas categorías de palabras.

Los diversos aspectos del amor recorren los poemas de *El silbo vulnerado* e *Imagen de tu huella.* Las manifestaciones externas —besos, roces, abrazos, suspiros—, la ausencia, la pena, los deseos insatisfechos, cobran presencia en los versos, adquiriendo paulatinamente más intensidad y creciendo en extensión.

El poema que lleva el número 2 de *Imagen de tu huella* en esta antología es una muestra de lo que acabamos de decir: la Naturaleza entera está en celo. El poeta, como cualquier ser primigenio, necesita, en esa época del año, el acoplamiento.

Búsquese, en los primeros compases del *Libro de Buen Amor,* el texto que lleva por encabezamiento «Aquí dize de cómo segund natura los omnes e las otras animalias quieren aver conpañía con las fenbras».

Compárese con el soneto 2 de *Imagen de tu huella.*

¿Qué aspectos tienen en común?

¿En qué difieren?

¿Tienen Miguel y el Arcipreste idénticos puntos de vista?

El tema del amor en su vertiente física, carnal, se hace motivo central de *El rayo que no cesa,* pero no podemos olvidar que Miguel se ha educado en la religión católica. De ahí que le cueste trabajo liberarse de los corsés a que lo somete la observancia del sexto mandamiento.

Pese a ello —dice Juan Cano Ballesta—, ha ido pasando

paulatinamente de la angustia de vivir como pecado las tentaciones carnales que le alejaban de Dios, hacia una valoración
positiva del amor de mujer. En este momento la *pena* y la vida atormentada del poeta es también *mal de ausencia,* pero no
de Dios, sino de la persona amada. El amor divino ha sido sustituido por el amor humano.

El poemario está dedicado a Josefina. Revísense los datos
incluidos sobre ella en Introducción. Para completarlos puede acudirse a *Recuerdos de la viuda de Miguel Hernández,* cit.

Algunos detalles sobre la personalidad de Josefina pueden
advertirse en los sonetos 4, 5, 8, 11, 21. No se olvide, sin
embargo, que estamos ante poemas, no ante un texto biográfico.

En poemarios anteriores Miguel se dirigía, como San Juan
de la Cruz, como Lope, como tantos poetas áureos, a Dios.
Él era el punto de destino de su oración, de su súplica.

Localícese en *El rayo que no cesa* cuál es el centro de atención al que se dirige la plegaria del poeta.

Calisto no se declara cristiano, sino *melibeo* en *La Celestina.*
¿Puede encontrarse una postura similar en *El rayo que no cesa?*

Lógicamente, Miguel irá abandonando las fuentes cristianas
—Fray Luis, San Juan de la Cruz, Lope— para beber en la
poesía «impura» de Neruda —*Residencia en la tierra*— y Aleixandre —*La destrucción o el amor*—, como se advirtió en la Introducción.

Ha cambiado su entorno natural por el urbano, pese a que
intentaba —recuérdese la cita de *Los encuentros* de Aleixandre,
en «Documentos y juicios críticos», apartado B de «Aspectos
biográficos»— sumergirse en ella de continuo.

Semejante cambio en cuestiones de pensamiento, de forma y
de lugar donde vivir produce una crisis profunda, que se refleja,

de un modo nítido, en el poema central del libro, «Me llamo barro aunque Miguel me llame».

Esta autodefinición, este olvido de sí mismo, es un volver a sus orígenes, pero es asimismo remontarse a los albores del mundo, a la materia primigenia de la que se siente compuesto. El regreso a la etapa pre-humana (con los primeros pasajes del *Génesis* al fondo) supone, desde luego, un aniquilamiento del yo, un desprecio casi ascético de su calidad como hombre, un estado de humillación y de postración rotundo. Si recuerda el *Libro de Job* —sin duda a través de Fray Luis— no deja de delatar su origen: la ruptura con Josefina, que le hace morder el polvo inútil pero no por eso menos bellamente.

En «Me llamo barro» se repite la idea que titulaba el conjunto anterior, «imagen de tu huella».

La imagen de ser pisado aparece en este y en otros textos. A través de las «Notas» a la edición puede localizarse en algunos poemas. Coméntese esta idea reiterativa.

Fundamental en este libro es la imagen del toro, que puede considerarse paralela a la de barro, pues si éste es materia que todos pisan, aquél ha nacido, como Miguel, para ser muerto en público y tras no poco sufrimiento.

El tema del toro ya había tenido cabida en poemas anteriores a *El rayo que no cesa*. Por ejemplo, «Toro», del ciclo de *Perito en lunas,* «Elegía media del toro», posterior, que no recojo en esta antología, y en varias ocasiones como referente metafórico. A partir de este momento adquiere toda su categoría de símbolo.

Un estudio sobre el toro en la poesía hernandiana llevaría a descubrimientos de mucho interés.

Sobre este asunto puede servir el artículo de José Luis Ángeles «El toro y el caballo: símbolos arquetípicos en Miguel Hernández y Federico García Lorca», en *Miguel Hernández, cincuenta años después,* cit., pp. 661-667, el libro de Marie Chevalier *La escritura poética de Miguel Hernández,* Madrid, Siglo XXI, 1977, especialmente pp. 102-105, etc.

Un par de símbolos de gran trascendencia en la poesía hernandiana entran y se quedan para siempre: el *rayo* y el *cuchillo.* Ambos funcionan como provocadores de heridas y de muerte, y ambos con sentido físico y místico.

Toro, rayo, cuchillo, están profundamente relacionados. El primero, espejo del poeta, es objetivo de muerte, que tiene en el rayo y el cuchillo a sus agentes. La muerte se convierte, así, en el motivo último del poemario.

En *El rayo que no cesa* todo gira en torno al último destino del hombre, se dijo en la Introducción. Un destino, pues, que condiciona cada poema, que se refleja con matices diversos, pero que, en sentido clásico, domina al poeta.

Ahora la sangre no tendrá el valor trascendente que asumirá durante el período en que Miguel padeció encarcelamiento. En *El rayo que no cesa* la sangre sólo significa vida terrestre, incluso cuando va en contextos de tipo religioso, como ocurre en el soneto 17.

La muerte, destino final de todo hombre, cobra toda su dimensión patética en los últimos poemas, sobre todo en la «Elegía a Ramón Sijé».

Estúdiense el soneto 27 y la «Elegía a Ramón Sijé».

Analícense las espléndidas imágenes y metáforas con el tema de la muerte como motivo.

Inténtese escribir un poema en honor de algún ser querido, ya familiar, ya algún personaje famoso, etc.

El recitado individual o colectivo de la «Elegía a Ramón Sijé» puede ser un práctico ejercicio de declamación.

4. Período de derivación

Hasta *El rayo que no cesa* incluido, Hernández ha ido cantando el entorno, la amada y su propia problemática de hombre doliente por amor. Pero ya en los últimos poemas del libro, con el aldabonazo que supone la muerte del amigo Sijé, empieza a comprender el dolor de otros —el de la novia y los padres de Ramón, por ejemplo—, esto es: se abre a los demás hombres.

Quedaba alguna muestra dispersa de su atención a la suerte de determinados labradores de su tierra, desposeídos de todo tipo de bienes, pero debía entrar en contacto con la realidad histórica de España y el influjo de Neruda, al que ha de añadirse el de Raúl González Tuñón, que cantó en *La rosa blindada* los sucesos acaecidos en Asturias.

A partir de entonces, Miguel se va decantando claramente por una poesía activa, una poesía impura, ideológica. De la soledad en que se encontraba por la ausencia forzosa de su amada Josefina, pasa a una compañía muy concreta: la de hombres y mujeres que sostienen puntos de vista sociales con los que no se puede permanecer en estado neutro.

Los poemas posteriores a *El rayo que no cesa* apuntan en varios sentidos. Desde el de la liberación definitiva de los yugos de la religión —«Sonreídme», [6] *PS, II I*, 2—; a los cantos a determinados amigos —«Elegías», *PS, III*, 1; «Oda entre arena y piedra a Vicente Aleixandre», *PS, III*, 3; «Al que se va», *PS, III*, 6; y otros a Neruda, o a la compañera de éste, Delia del

---

[6] Citaré Poemas sueltos, III con las siglas *PS, III*, y a continuación el número correspondiente en esta antología.

Corral—; pero también surgen ya poemas más o menos revolucionarios como «Alba de hachas» y otros que reflejan su situación.

Iniciada la guerra, Miguel se hace uno con el pueblo, convirtiéndose en el cantor de sus grandezas y de sus necesidades, encarnándose en cada uno de sus compañeros de lucha, que lo es ideológica, pero también cuerpo a cuerpo.

Los poemas de esta etapa se concretarán en dos libros, *Viento del pueblo,* que llegó a tener en las manos, y *El hombre acecha,* cuya peripecia editorial queda referida.

El título del primero advierte sobre dos asuntos fundamentales del poemario: se escribe en volandas, a toda prisa, a ráfagas, también; y sus textos son de raíz popular porque al pueblo van dirigidos. No se los llevó el viento porque se reunieron en un volumen necesario para el poeta, para sus destinatarios y, por supuesto, para quienes los utilizaron desde instancias superiores como instrumentos de propaganda política.

Todo *Viento del pueblo* [7] está impregnado de un fogoso tono épico, que lo convierte en poesía de guerra.

Adviértanse los distintos estados de ánimo que manifiesta el poemario, que se reflejan en el tono de arenga de unos textos, la búsqueda de la conmiseración en otros, la mitificación de determinados personajes vivos, y la referencia a momentos que suponen algún hito.

Una comparación entre «El niño yuntero», *VDP,* 2, y «Aceituneros», *VDP,* 7, puede sacar a la luz interesantes asuntos comunes. Búsquese, en la poesía anterior, algún texto similar. En la poesía subsiguiente, «Andaluzas», de «Poemas sueltos, IV», número 3 de esta antología, está en la misma línea.

---

[7] Cito *Viento del pueblo* con las siglas *VDP*, y a continuación el número correspondiente en esta antología.

La audición musical de «Aceituneros», en las voces de Jarcha o de Paco Ibáñez puede servir de fondo a un montaje dramático, quizás en sombras chinescas.

Miguel ha contraído matrimonio, y ha conocido ya no sólo los goces de la carne, sino el gozo espiritual que supone el encuentro con la amada. Tiene que partir, porque sus compañeros de fatigas lo esperan en el frente. Comprende experiencialmente lo que significa el dolor de la separación, tanto el de quien se dirige a las trincheras como el de quienes quedan a la espera de noticias de los soldados.

Ahora es cuando advierte la trascendencia de su sangre y lo imprescindible de la función de la amada. Dentro de las dificultades que atraviesan uno y otra, puede admitirse que el poeta se siente feliz.

El libro se compone en metros populares, pero cuando el tema le parece extraordinario, acude al verso de arte mayor.

Obsérvese el tipo de estrofa utilizado en «Las manos», *VDP*, 8; «Primero de mayo de 1937», *VDP*, 9; «Canción del esposo soldado», *VDP*, 10; y «Pasionaria», *VDP*, 11, frente a otras composiciones del volumen.

Compárese métricamente «Las manos» y «Canción del esposo soldado».

Localícense las metáforas de «Canción del esposo soldado».

Clasifíquense siguiendo algún manual.

Pueden tenerse en cuenta estudios como el de Juan Cano Ballesta o el de Marie Chevalier, ya citados.

La mitificación de Rosario Sánchez Mora, la dinamitera, o de Dolores Ibárruri en sendos poemas, es una muestra más de la capacidad de Miguel para atender en esa etapa a la actividad de sus compañeros de camino.

Búsquese bibliografía sobre Dolores Ibárruri, «La Pasionaria», y Rosario Sánchez Mora, la dinamitera, y prepárese un trabajo sobre ellas y otras mujeres que estuvieron «al pie de cañón» en uno y otro bando durante la Guerra Civil.

Puede servir de apoyo el libro ya citado de Shirley Mangini *Recuerdos de la resistencia. La voz de las mujeres de la guerra civil española*.

El poemario *El hombre acecha*, continuación de *Viento del pueblo*, presenta proximidades con éste, pero también un tono cada vez más desesperanzado. De los textos que le inspira su estancia en Rusia, momento en que lo ve todo de color de rosa y, podríamos decir, «dora la píldora» a quienes lo invitaron, como «Rusia», o «La fábrica-ciudad», pasa pronto a convertir en poema situaciones de dolor, como se advierte en «El soldado y la nieve».

Todavía en ese texto puede entonarse un canto de victoria, pues el bando republicano ha ganado la batalla en Teruel.

Cuando el signo del vencedor y del vencido se va grabando en los dos bandos contendientes de un modo irreversible, Miguel Hernández encuentra aún motivos para seguir escribiendo. No son cantos de exaltación bélica, sino un canto de dolor compartido con quienes ocupan «El tren de los heridos».

Léase en voz alta «El tren de los heridos», donde el poeta parece contar una película, algo irreal, algo que no quiere que esté ocurriendo, pero algo de lo que no se puede desprender.

Analícese la estructura interna del poema.

Analícese la rima.

Obsérvese la función del verso que actúa como anáfora.

5. Período de despedida

Denomina esta última etapa Marie Chevalier como «el imperio familiar de las tinieblas futuras», mientras otros se inclinan por denominarla «de la ausencia y de la cárcel», o «da destrucción de la Historia».

Supone, desde luego, su despedida poética, y aún extraña que tuviera arrestos suficientes para ponerse a escribir poesía en las condiciones en que estuvo. Claro que, en un principio, la poesía era una tabla de salvación, una razón para no claudicar; y, pronto, un motivo de esperanza futura, no sólo porque la literatura proporciona buenas dosis de eternidad al escritor, sino porque, y él era consciente de ello, podría significar el pan de su esposa y su hijo en un futuro.

Configuran este período los poemas que reunió a modo de colegial en el cuaderno titulado por él mismo *Cancionero y romancero de ausencias,* y otros poemas que, de diferentes épocas, se han añadido a ese *corpus.*

Al principio utiliza las estrofas populares —canción, romance, romancillo—, tercetillos, aleluyas; más tarde, cuando retoma asuntos graves, como ocurrió en el período anterior, se sirve de los metros de arte mayor.

Todavía recuerda el amor, en poemas como «Besarse, mujer», [8] *CRA,* 2, «Llegó tan hondo el beso», «Tus ojos se me van», etc.

Compárese «Besarse, mujer» con poemas anteriores en los que se abordaba el mismo asunto amoroso.

Analícese «Orillas de tu vientre», *CRA,* 15, donde concreta el amor a la esposa, cuando el vientre se convierte en símbolo

---

[8] Cito *Cancionero y romancero de ausencias* con las siglas *CRA* acompañadas del número correspondiente en esta antología.

de la maternidad, de la cuna y de la sepultura. El poema tiene aspectos en común con los que conforman el tríptico «Hijo de la luz y de la sombra», del que se ha elegido «Hijo de la luz» para esta antología. Pueden analizarse desde el punto de vista métrico, sintáctico, semántico y, desde luego, simbólico.

Motivo similar en «Menos tu vientre», *CRA,* 19.

Ocupa el recuerdo del hijo muerto buena parte de los primeros poemas. Véanse «El sol, la rosa y el niño», *CRA,* 1; «Llevadme al cementerio», *CRA,* 8; «Muerto mío, muerto mío», *CRA,* 9.

Puede hacerse una selección de poemas sobre la muerte de los seres queridos. Las *Coplas a la muerte de su padre,* de Jorge Manrique, o la «canción a la muerte de Carlos Félix», de Lope, podrían servir de punto de partida. *Réquiem,* de Ana Ajmátova (Ed. Torremozas, 1996), podría ser el de llegada.

El titulado «A mi hijo» resume y completa todo el dolor del padre. Compárese con los recién citados. Similitudes y diferencias.

Si el hijo muerto provoca en Miguel expresiones de profundo dolor, el hijo que nace lo invitará al regocijo, a la fiesta, al canto alegre. Incluso cuando las condiciones son desfavorables, tanto para uno como para el otro.

Las «Nanas de la cebolla», el último texto del conjunto, presentan, al tiempo que un crudo patetismo, una visión esperanzada del futuro.

Véase «Nanas de la cebolla», *CRA,* 21, y procédase a su análisis estructural, métrico, temático, simbólico.

Suele considerarse que el poema es la mejor nana de la poesía española, que no suele abundar en este tipo de composiciones si no es fruto de la poesía popular.

¿Qué razones se pueden aportar en este sentido?

> Estúdiense las notas 296 y 307 de esta edición. Compárese
> el sentido de los dientes aquí con el de la «Elegía a Ramón
> Sijé», de *El rayo que no cesa*.

De los últimos textos de Miguel Hernández incluidos en esta antología, el que empieza «Con dos años, dos flores» («Otros
poemas del ciclo», 3), presenta un tono similar a «Nanas de la
cebolla».

> Analícese «Con dos años, dos flores», intentando hallar
> los puntos en común con «Nanas de la cebolla».
> Estúdiese la estrofa utilizada en ambas composiciones, la
> seguidilla con bordón.

El resto de los poemas suponen un estado de ánimo que se
precipita hacia el desaliento. En ellos el poeta se salva de la
desesperación absoluta recordando a la esposa amada, como
ocurre en «Yo no quiero más luz que tu cuerpo ante el mío»,
número 5 de «Otros poemas del ciclo». Miguel Hernández deja de escribir cuando hacerlo le resulta físicamente imposible,
pero también porque no le queda más por cantar. Ha efectua-
do un recorrido de lo popular a lo culto, y ha regresado a sus
orígenes. Éstos son, también, el vientre materno, ahora vientre de la esposa, acogedor en el más allá.

Miguel Hernández amó —el mundo, su esposa, sus hijos, sus
amigos, sus ideales— y tradujo su amor en poesía. Ésta, como
muy bien entrevió desde los primeros versos, lo salvó, como a
Virgilio, del olvido.

ÍNDICE DE POEMAS

Páginas

POEMAS SUELTOS, I

A mi alma 55
Cancioncilla 55
Soneto lunario 57
A los libros bellos 58
La campana y el caramillo 59
Un gesto del alba 61
Día armónico 62
Las Vestes de Eos 63
Soledad 65
Presentimientos 66
Leyendo 67
Colorín 68
Imposible 69
¡En mi barraquica! 71
«Flor del arrajo» 73
A la señorita 75
Balada de la juventud 76
Poesía 79
Ancianidad 81

PERITO EN LUNAS

Toro 83

Torero 83
Palmera 84
Sexo en instante, 2 84
Espantapájaros 85
La granada 85
Veletas 86
Horno y luna 86
Guerra de estío 87

CICLO DE *PERITO EN LUNAS*

Plenitud 89
Niña al final 89
Culebra 91
Naranjo 92
Rosa-*entre páginas* 93
Higo-*desconocido* 94
Naranja 94
Limón 95
Elegía-*al guardameta* 96
Huerto-*mío* 99
Invierno-*puro (Enero)* 102
Primera lamentación-*de la carne* 104

POEMAS PUBLICADOS EN *GALLO CRISIS* Y *SILBOS*

A María Santísima *(en el Misterio de la Asunción)* 107
El trino-*por vanidad* 108
El silbo del Dale 109
El silbo de la llaga perfecta 110
El silbo de las ligaduras 111

PRIMITIVO *SILBO VULNERADO*

Niebla-*Dios y poema* 112
Nubes-*y arcángeles* 113
Chumbera-*múltiple* 114
Oda-*a la higuera* 114
Diario de junio-*ininterrumpido* 116
Ruy-señor y mirlo-*cantores a un tiempo* 120

Cántico-*corporal* 120
Mar y Dios 123
Cuerpo-*y alma* 126
POEMAS AMOROSOS
Primavera celosa 129

SONETOS PERTENECIENTES AL CICLO DE *EL SILBO VULNERADO*

Vida-*invariable* 131
Señales-*de vida* 133
Oficio-*adánico* 133
Rencor-*milenario* 133
Dolencias-*altísimas* 134
No media más distancia que un otero 135
Orejas-*inútiles* 136
Manos-*culpables* 136
Hortelano-*doliente* 137
Abril, el de las gracias a millones 138
Casi-*nada* 139
Ay-*eterno* 139
El grano, una esperanza derramada 140
Pena-*bien hallada* 141

EL SILBO VULNERADO

Para cuando me ves tengo compuesto, ... 143
Sin poder, como llevan las hormigas 144
Gozar, y no morirse de contento, ... 144
Yo te agradezco la intención, hermano, ... 145
Cada vez que te veo entre las flores 146
¡Y qué buena es la tierra de mi huerto! 147
Ni a sol ni a sombra vivo con sosiego 148
Sabe todo mi huerto a desposado, ... 148
La pena, amor, mi tía y tu sobrina 149
La pena hace silbar, lo he comprobado 150
Como queda en la tarde que termina 151
Como recojo en lo último del día, ... 151
Te espero en este aparte campesino 152
Una interior cadena de suspiros 153
Un acontecimiento de osadía, ... 154

IMAGEN DE TU HUELLA

Mis ojos, sin tus ojos, no son ojos 155
Ya se desembaraza y se desmembra 156

EL RAYO QUE NO CESA

Un carnívoro cuchillo 157
¿No cesará este rayo que me habita 159
Guiando un tribunal de tiburones, ... 160
Me tiraste un limón, y tan amargo, ... 160
Tu corazón, una naranja helada 161
Umbrío por la pena, casi bruno, ... 162
Después de haber cavado este barbecho 163
Por tu pie, la blancura más bailable, ... 163
Fuera menos pensado si no fuera 164
Tengo estos huesos hechos a penas 165
Te me mueres de casta y de sencilla 166
Una querencia tengo por tu acento 167
Mi corazón no puede con la carga 168
Silencio de metal triste y sonoro 169
Me llamo barro aunque Miguel me llame 169
Si la sangre también, como el cabello, ... 172
El toro sabe al fin de la corrida, ... 173
Ya de su creación, tal vez, alhaja 174
Yo sé que ver y oír a un triste enfada 174
No me conformo, no: me desespero 175
¿Recuerdas aquel cuello, haces memoria 176
Vierto la red, esparzo la semilla 177
Como el toro he nacido para el luto 178
Fatiga tanto audaz sobre la arena 178
Al derramar tu voz su mansedumbre 179
Por una senda van los hortelanos 180
Lluviosos ojos que lluviosamente 181
La muerte, toda llena de agujeros 181
Elegía 182
Soneto final 185

POEMAS SUELTOS, III

Elegía 187
Sonreídme 190

Oda entre arena y piedra. A Vicente Aleixandre 192
Me sobra el corazón 196
Mi sangre es un camino 198
Al que se va 200

VIENTO DEL PUEBLO

Vientos del pueblo me llevan 201
El niño yuntero 204
Recoged esta voz 207
Rosario, dinamitera 212
Jornaleros 214
Al soldado internacional caído en España 216
Aceituneros 217
Las manos 219
Primero de mayo de 1937 221
Canción del esposo soldado 223
Pasionaria 225

POEMAS SUELTOS, IV

Las abarcas desiertas 229
Andaluzas 231
Canción del antiavionista 232
Teruel 234
Las puertas de Madrid 236
Canto de Independencia 237

EL HOMBRE ACECHA

Rusia 241
El soldado y la nieve 244
El tren de los heridos 246
Madre España 248

CANCIONERO Y ROMANCERO DE AUSENCIAS

El sol, la rosa y el niño 251
Besarse, mujer, ... 252
En este campo 252
El corazón es agua 253
Llegó con tres heridas 253

Cogedme, cogedme 254

Tan cercanos, y a veces 254

Llevadme al cementerio 254

Muerto mío, muerto mío: 255

Todas las casas son ojos 255

Cuando paso por tu puerta, ... 256

¿Qué pasa? 257

Corazón de leona 258

A mi hijo 258

Orillas de tu vientre 260

Bocas de ira 262

Tristes guerras 263

HIJO DE LA LUZ Y DE LA SOMBRA

Hijo de la luz 264

Menos tu vientre 265

Cerca del agua te quiero llevar, ... 266

Nanas de la cebolla 267

Cancionero de ausencias 270

Enciende las dos puertas, ... 271

Dicen que parezco otro 271

¿Para qué me has parido, mujer? 271

De aquel querer mío 272

OTROS POEMAS DEL CICLO

Que me aconseje el mar 273

El pez más viejo del río 273

Con dos años dos flores 274

Casida del sediento 275

Yo no quiero más luz que tu cuerpo ante el mío 275

Te escribo y el sol 276

Nadie se da cuenta 277

Sobre el cuerpo de la luna 277

ÍNDICE DE PRIMEROS VERSOS

Páginas

Abiertos, dulces sexos femeninos, ... 114
Abrazado a tu cuerpo como el tronco a su tierra, ... 248
Ábreme, amor, la puerta 110
Abril, el de las gracias a millones 138
¡A la gloria, a la gloria toreadores! 83
A los libros bellos, pétalos de rosas 58
Al derramar tu voz su mansedumbre, ... 139
¡Al polo norte del limón amargo 84
Alocada mariposa 73
Amarilla emulación 95
Anda, columna; ten un desenlace 84
Andaluces de Jaén, ... 217
Andaluzas generosas, ... 231
Arena del desierto 275
Aunque 91
¡Ay, qué picuda y, ay, qué amarga mente 139

Besarse, mujer, ... 252
Bocas de ira 262

Cada vez que te veo entre las flores 146
Cadena de lunados eslabones: 114
Carne de yugo, ha nacido 204
Cerca del agua te quiero llevar 266

Cogedme, cogedme 254
Colorado, colorín 68
Como el toro ha nacido para el luto 178
Como queda en la tarde que termina 151
Como recojo en lo último del día 151
Con dos años, dos flores 274
Con mil cabezas voy de mansedumbre, ... 131
¡Con qué graciosidad va la esquiadora, ... 102
Copada por el sol la nieve novia, ... 104
Corazón de leona 258
¿Cuándo aceptarás, yegua, ... 111
Cuando paso por tu puerta, ... 256

Dale al aspa, molino, ... 109
Danzarinas en vértices cristianos 86
De aquel querer mío, ... 272
Debajo del granado 270
Después de haber cavado este barbecho 163
Día uno. Cae un agua sobre el huerto 116
Dicen que parezco otro 271
Diciembre ha congelado su aliento de dos filos 244
Doncello el cuchillo, inicia 94
Dos especies de manos se enfrentan en la vida 219
Dos pájaros me están enamorando 136

Echa la luna, en pandos aguaceros 57
El corazón es agua 253
El grano, una esperanza derramada, ... 140
El pez más viejo del río 273
El sol, la rosa y el niño 251
El toro sabe al fin de la corrida, ... 173
Elevando tus nadas hasta el bulto, ... 123
Ella: 89
En esta siesta de otoño 65
En este campo 252
En la ermita campesina, ... 59
¡En mi barraquica! 71
En trenes poseídos de una pasión errante 241
Enciende las dos puertas 271
Enero, ya la tierra está en amores 137
Eos 63

Eres tú el árbol 92
Es demasiado poco maniquí, ... 85
Estas llagas que llevo boquiabiertas 132

Fatiga tanto andar sobre la arena 178
Fuera menos penado si no fuera 164

Gozar, y no morirse de contento, ... 144
Guiando un tribunal de tiburones, ... 160

Hay la luz debida: nada menos 89
Hay un constante estío de ceniza 86
He poblado tu vientre de amor y sementera, ... 223
Hoy el día es un colegio 62
Hoy estoy sin saber yo no sé cómo, ... 85

Jornaleros que habéis cobrado en plomo 214

La cebolla es escarcha 267
La muerte, toda llena de agujeros 181
La pena, amor, mi tía y tu sobrina, ... 149
La pena hace silbar, lo he comprobado 150
Las puertas son del cielo 236
Líster, la vida, la cantera, el brío 234
Llegó a mí triunfante: la vi y la sorpresa 76
Llegó con tres heridas 253
Llevadme al cementerio 254
Lluviosos ojos que lluviosamente 181

Manantial casi fuente; casi río 139
Me cogiste el corazón, ... 129
Me empuja a martillazos y a mordiscos, ... 198
Me llamo barro aunque Miguel me llame 169
Me tiraste un limón, y tan amargo 160
Menos tu vientre, ... 265
Mi corazón no puede con la carga 168
Mis ojos, sin tus ojos, no son ojos 155
Moriré como el pájaro: cantando, ... 225
Muerto mío, muerto mío 255
Murmuran que hablo muy poco 55

Naciones de la tierra, patrias del mar, hermanos 207

Nadie se da cuenta 277
Ni a sol ni a sombra vivo con sosiego 148
¿No cesará este rayo que me habita 159
No me conformo, no: me desespero 175
No media más distancia que un otero 135
No sé qué sepultada artillería 221
¡Oh combate imposible de la pita 87
¡Oh, qué carcajadas 61
Ojinegra la oliva en tu mirada, ... 141

Pájaros hay que el pío por el pío 108
Palmas ¡qué poco ilustres y graciosas 136
Para cuando me ves tengo compuesto, ... 143
¿Para qué me has parido, mujer? 271
Paraíso, local, creación postrera 99
Partir es un asunto dolorido 200
Paso a paso, mi tierra vuelve a mí. Trozo a trozo, ... 237
¡Poesía! Yo querría 79
Por desplumar arcángeles glaciales, ... 185
Por el cinco de enero, ... 229
Por el lugar mejor de tu persona, ... 83
Por su desconocimiento 94
Por tu pie, la blancura más bailable, ... 163
Por una senda van los hortelanos 180

¡Qué espesuras! de nada en abundancia: 112
¿Qué exaltaré en la tierra que no sea alto tuyo? 260
Que me aconseje el mar 272
¿Qué pasa? 257
¡Qué penas tan ilustres son las penas 134
¿Qué te ofrezco me dices 75
Que vienen, vienen, vienen 232
¿Queda luz? 55
Quiero morirme riendo, ... 69

¿Recuerdas aquel cuello, haces memoria 176
Rosario, dinamitera 212

Sabe 66
Sabe todo mi huerto a desposado 148
Si hay hombres que contienen un alma sin fronteras 216

Si la sangre también, como el cabello 172
Si ruborizó renglones, ... 93
Silencio de metal triste y sonoro, ... 169
Silencio que naufraga en el silencio 246
Sin poder, como llevan las hormigas 144
Sobre el cuerpo de la luna 277
Sobre el patrón de vuestra risa media, ... 85
Son mis manos sarmientos; es mi cuerpo encorvado 81

Tan cercanos, y a veces 254
Te escribo y el sol 276
Te espero en este aparte campesino 152
Te has negado a cerrar los ojos, muerto mío 258
Te me mueres de casta y de sencilla: 166
Tengo estos huesos hechos a las penas 165
Tengo ya el alma ronca y tengo ronco 187
Todas las casas son ojos 255
Tristes tierras 263
Tu corazón, una naranja helada 161
Tu grillo, por tus labios promotores 96
Tú eres el alba, esposa: la principal penumbra 264
Tu padre el mar, te condenó a la tierra 192
¡Tú!, que eras ya subida soberana 107

Umbrío por la pena, casi brusco, ... 162
Un acontecimiento de osadía, ... 154
Un carnívoro cuchillo 157
Un ciprés 67
Un odio eterno cunde por los secos 133
¿Un vergel? para el cuerpo, ... 126
Una interior cadena de suspiros 153
Una querencia tengo por tu acento, ... 167

Vengo muy satisfecho de librarme 190
Vientos del pueblo me llevan, ... 201
Vierto la red, esparzo la semilla 177
Vigilar la blancura: ese es mi oficio 133
Vivo yo, pero yo no vivo entero 120
Vuelos sin ruido, pájaros sin plumas 113

¡Y qué buena es la tierra de mi huerto!: 147

Ya de su creación, tal vez, alhaja 174
Ya se desembaraza y se desmembra 156
Yo no quiero más luz que tu cuerpo ante el mío 275
Yo quiero ser llorando el hortelano 182
Yo sé que ver y oír a un triste enfada 174
Yo te agradezco la intención, hermana, ... 145

SE TERMINÓ DE IMPRIMIR ESTA EDICIÓN
EL DÍA 25 DE MARZO DE 1998.

LAUS  DEO

castalia didáctica

TÍTULOS PUBLICADOS

1 / P. Calderón de la Barca
LA VIDA ES SUEÑO
Ed. de J. M. García Martín.

2 / J. Manrique
**COPLAS A LA MUERTE
DE SU PADRE**
Ed. de Carmen Díaz Castañón.

3 / F. García Lorca
LA CASA DE BERNARDA ALBA
Ed. de Miguel García-Posada.

4 / G. A. Bécquer
RIMAS
Ed. de M. Etreros.

5 / M. de Unamuno
SAN MANUEL BUENO, MÁRTIR
Ed. de J. Rubio Tovar

6 / **LA VIDA DE LAZARILLO
DE TORMES**
Ed. de Antonio Rey Hazas

7 / J. Cadalso
CARTAS MARRUECAS
Ed. de Manuel Camarero.

8 / Arcipreste de Hita
LIBRO DE BUEN AMOR
Ed. de J. L. Girón Alconchel

9 / A. Buero Vallejo
EL TRAGALUZ
Ed. de J. L. García Barrientos

10 / Lope de Vega
**PERIBÁÑEZ Y EL COMENDADOR
DE OCAÑA**
Ed. de F. B. Pedraza.

11 / A. Machado
POESÍAS ESCOGIDAS
Ed. dc Vicente Tusón.

12 / F. de Quevedo
EL BUSCÓN
Texto: F. Lázaro Carreter.
Ed. de A. Basanta

13 / L. de Góngora
ANTOLOGÍA POÉTICA
Ed. de Antonio Carreira

14 / Lope de Vega
FUENTE OVEJUNA
Ed. de Mª T. López García-Bordoy
y Francisco López Estrada.

15 / M. de Cervantes
TRES NOVELAS EJEMPLARES
Ed. de Juan Manuel Oliver
Cabañes.

16 / L. Alas, Clarín
RELATOS BREVES
Ed. de Rafael Rodríguez Marín.

17 / D. Juan Manuel
LIBRO DEL CONDE LUCANOR
Ed. de Fernando Gómez Redondo.

18 / **ROMANCERO VIEJO**
Ed. de Mª Cruz García Enterría.

19 / J. Valera
PEPITA JIMÉNEZ
Ed. de A. Navarro y J. Ribalta.

20 / F. de Quevedo
ANTOLOGÍA POÉTICA
Ed. de E. Gutiérrez Díaz-Bernardo.

21 / G. de la Vega
POESÍAS COMPLETAS
Ed. de A. L. Prieto de Paula.

22 / **ANTOLOGÍA DE LA
POESÍA ESPAÑOLA (1939-1975)**
Ed. de José Enrique Martínez.

23 / **EL CUENTO ESPAÑOL
(1940-1980)**
Ed. de Óscar Barrero Pérez.

24 / **ANTOLOGÍA POÉTICA DE
LA GENERACIÓN DEL 27**
Ed. de Arturo Ramonda.

25 / M. J. de Larra
ARTÍCULOS
Ed. de Juan Bautista Bordajandi.

26 / Lope de Vega
EL CABALLERO DE OLMEDO
Ed. de Juan Mª Martín Martínez.

27 / L. Fernández de Moratín
EL SÍ DE LAS NIÑAS
Ed. de Abraham Madroñal Durán.

28 / C. Vallejo
TRILCE
Ed. de Víctor de Lama.

29 / W. Shakespeare
EL REY LEAR
Ed. de Ignacio Malaxecheverría.

30 / J. R. Jiménez
PLATERO Y YO
Ed. de Antonio A. Gómez Yebra.

31 / **TEATRO BREVE DE LOS
SIGLOS DE ORO**
Ed. de Catalina Brezo.

32 / P. A. de Alarcón
EL SOMBRERO DE TRES PICOS
Ed. de Rafael Rodríguez Martín.

33 / Azorín
UNA HORA DE ESPAÑA
Ed. de José Montero Padilla

34 / Fr. L. de León
POESÍA ORIGINAL
Ed. de E. Gutiérrez Díaz-Bernardo.

35 / **POEMA DE MIO CID**
Ed. J. L. Girón Alconchel
y V. Pérez Escribano.

36 / Duque de Rivas
DON ÁLVARO O LA FUERZA
DEL SINO
Ed. de Rafael Balbín.

37 / LA PROSA DE LA
ILUSTRACIÓN: FEIJOO
Y JOVELLANOS
Ed. de Manuel Camarero.

38 / P. Calderón de la Barca
EL ALCALDE DE ZALAMEA
Ed. de José Montero Reguera.

39 / Gonzalo de Berceo
MILAGROS DE NUESTRA
SEÑORA
Ed. de Mª Teresa Barbadillo.

40 / Miguel de Cervantes
NOVELAS EJEMPLARES, II
Ed. de Antonio Orejudo.

41 / Francisco Ayala
RELATOS
Ed. de Óscar Barrero Pérez.

42 / Tirso de Molina
EL BURLADOR DE SEVILLA
Ed. de Mercedes Sánchez Sánchez.

43 / ANTOLOGÍA DE POESÍA
ESPAÑOLA (1975-1995)
Ed. de José Enrique Martínez.

44 / Miguel de Cervantes
DON QUIJOTE DE
LA MANCHA, I y II
Ed. de Florencio Sevilla Arroyo
y Elena Varela Merino.

45 / Antonio Muñoz Molina
EL DUEÑO DEL SECRETO
Ed. de Epicteto Díaz Navarro.